Zoé Burns-Garcia

ROMÉO ET JULIETTE

Du même auteur
dans la même collection

ANTOINE ET CLÉOPÂTRE (édition bilingue).
BEAUCOUP DE BRUIT POUR RIEN (édition bilingue).
LES DEUX GENTILSHOMMES DE VÉRONE – LA MÉGÈRE APPRIVOISÉE – PEINES D'AMOUR PERDUES.
HAMLET (édition bilingue).
HENRY V (édition bilingue).
MACBETH (édition avec dossier).
MACBETH (édition bilingue).
LE MARCHAND DE VENISE (édition bilingue).
LE MARCHAND DE VENISE – BEAUCOUP DE BRUIT POUR RIEN – COMME IL VOUS PLAIRA.
LA MÉGÈRE APPRIVOISÉE (édition bilingue).
LA NUIT DES ROIS (édition bilingue).
OTHELLO – LE ROI LEAR – MACBETH.
RICHARD III – ROMÉO ET JULIETTE – HAMLET.
LE ROI LEAR (édition bilingue).
ROMÉO ET JULIETTE (édition bilingue).
LE SONGE D'UNE NUIT D'ÉTÉ (édition bilingue).
LE SONGE D'UNE NUIT D'ÉTÉ – LES JOYEUSES COMMÈRES DE WINDSOR – LE SOIR DES ROIS.
LA TEMPÊTE (édition bilingue).
TITUS ANDRONICUS – JULES CÉSAR – ANTOINE ET CLÉOPÂTRE – CORIOLAN.

SHAKESPEARE

ROMÉO ET JULIETTE

Traduction par
Pierre Jean JOUVE et Georges PITOËFF

Préface par
Harley GRANVILLE-BARKER

Notice par
F. N. LEES

Bibliographie mise à jour
en 2011 par Liliane CAMPOS

GF Flammarion

ISBN : 978-2-0812-5486-2

INTERVIEW

Antoine Volodine,
pourquoi aimez-vous *Roméo et Juliette* ?

Parce que la littérature d'aujourd'hui se nourrit de celle d'hier, la GF a interrogé des écrivains contemporains sur leur « classique » préféré. À travers l'évocation intime de leurs souvenirs et de leur expérience de lecture, ils nous font partager leur amour des lettres et nous laissent entrevoir ce que la littérature leur a apporté. Ce qu'elle peut apporter à chacun de nous, au quotidien.

Né en 1950, le romancier Antoine Volodine est notamment l'auteur de Lisbonne, dernière marge *(1990),* Le Nom des singes *(1994),* Le Post-exotisme en dix leçons, leçon onze *(1998),* Des anges mineurs *(1999, prix du Livre Inter),* Dondog *(2002),* Bardo or not Bardo *(2004),* Songes de Mevlido *(2007) et* Écrivains *(2010). Avec Elli Kronauer, Lutz Bassmann et Manuela Draeger, il incarne le mouvement littéraire du post-exotisme.*

Il a accepté de nous parler de Roméo et Juliette*, et nous l'en remercions.*

Quand avez-vous lu ce livre pour la première fois ? Racontez-nous les circonstances de cette lecture.

Le poste de télévision était gigantesque et l'image petite, avec un noir et blanc que je me rappelle très contrasté. Une de mes grands-mères venait d'acheter l'appareil et elle en était très fière, car dans la rue personne d'autre n'en possédait un. On vivait encore au milieu des livres pendant les années cinquante, et loin des écrans. Ma grand-mère se taisait, assise à un mètre de son poste magique, et elle mit son doigt sur ses lèvres pour me signifier de garder le silence. Un jeune acteur habillé de culottes bouffantes extrêmement bizarres et ridicules levait la tête vers un balcon où se penchait une actrice qui me fit aussitôt battre le cœur. Je devais avoir sept ou huit ans. Je me suis assis à côté de ma grand-mère. J'ai tout de même posé une question, pour ne pas me sentir trop perdu en face du spectacle, que je prenais en cours de route. « Tais-toi », m'a répondu ma grand-mère. « C'est Roméo et Juliette. Ils s'aiment. »

Votre coup de foudre a-t-il eu lieu dès le début du livre ou après ?

En réalité, devant cette adaptation télévisuelle dont je serais bien en peine aujourd'hui de préciser les noms du réalisateur et des comédiens, j'avais l'impression de déjà connaître la pièce. Je m'interroge sur ce sentiment de familiarité émue qui s'est aussitôt imposé à moi. Une fois assis à côté de ma grand-mère, et une fois renseigné sur le titre de la tragédie, j'ai pensé avec bonheur que j'allais retrouver une histoire que j'aimais depuis toujours. Je me suis senti immédiatement en communion avec le destin des deux amants. Je savais qu'ils allaient mourir. Cela ne m'effrayait pas et rendait plus mélancolique ma tendresse à leur égard. Je ne m'identifiais pas à Roméo, mais bien au couple qu'il formait avec Juliette. Il est certain que le mythe m'avait été transmis plus tôt sans que je m'en rende compte. Les adultes en avaient parlé près de moi sans doute, à des moments insituables et oubliés de mon enfance. Tout cela pour dire que le coup de foudre avait été préparé en profondeur, à mon insu, par une circulation mystérieuse de la mémoire collective. Ce jour-là, en face de ces images où les ombres paraissaient charbonneuses, j'avais la certitude que je ne faisais que réécouter ce que j'avais déjà entendu, autrefois et ailleurs.

Relisez-vous ce livre parfois ? à quelle occasion ?

J'ai relu le texte une fois ou deux, en me reportant de temps en temps à l'original. La langue de Shakespeare, même quand on n'a pas la compétence pour l'apprécier pleinement, et peut-être justement quand on n'est pas spécialiste, vibre d'une puissance et d'une beauté déclamatoires constantes. « O serpent heart, hid with a flowering face ! »... « It was the nightingale, and not the lark,/ That pierced the fearful hollow of thine ear »... « Dead, lie thou there, by a dead man interred »... « The sun for sorrow will not show his head »... C'est admirable. Mais plutôt que de lire la pièce, j'en ai vu des adaptations. À de nombreuses reprises. Le cinéma est particulièrement bien outillé pour montrer *Roméo et Juliette*, mieux que la scène, je trouve. Le découpage en séquences cinématographiques existe déjà dans le texte, avec des ruptures de décor et des apparitions soudaines de personnages que le théâtre a du mal à rendre crédibles, alors qu'elles sont tout à fait naturelles dans un film. Je n'ai pas la prétention d'avoir vu tous les films qui reprennent la pièce, soit pour la subvertir avec élégance, comme l'a fait Jacques Prévert dans *Les Amants de Vérone*, soit pour la transposer dans un décor contemporain, comme dans *Romeo + Juliet*, soit pour rendre un hommage respectueux à Shakespeare. En ce domaine, celui de l'hommage, *Roméo et Juliette* de Zeffirelli est pour moi d'une perfection sans égale.

Est-ce que cette œuvre a marqué vos livres ou votre vie ?

Oui, bien sûr. L'amour fou, fusionnel, inexorablement en marche vers la mort violente, l'amour qui refuse de fléchir au décès d'un des partenaires. L'amour qui trahit les conventions sociales. Ce feu à quoi deux êtres pathétiques se réchauffent, alors que l'horreur les entoure. Un couple magnifique qui ne fait plus de différence entre mort et éternité amoureuse. Cela habite nombre de mes romans, même si, évidemment, mes personnages évoluent dans un décor de cauchemar très éloigné de la Vérone des Montaigue et des Capulet. Mes héros et mes héroïnes ne sont pas des bien-nés, ils n'ont pas de véritable famille, ce sont le plus souvent des gueux vieillissants et des révolutionnaires au bout du rouleau. Ils surgissent de l'univers des camps du XXe siècle, leur mémoire est hantée par le souvenir des guerres, des révolutions ratées, des massacres et des guérillas. Mais en dépit de toutes ces différences avec le monde de Roméo et Juliette, ils portent en eux une image amoureuse dans laquelle ils veulent entrer ensemble coûte que coûte. Avec un acharnement naïf ils poursuivent cette image merveilleuse des retrouvailles et de l'étreinte que seuls les rêves et la mort autorisent. Et là, leur destinée coïncide très étroitement avec la légende des amants de Vérone qui, pour se rejoindre, doivent quitter le monde des vivants. C'est une histoire d'amour en vérité fort commune, une tragédie qui a connu d'innombrables variations, d'innombrables héros et héroïnes, et dont les sources remontent à la nuit des temps. Mais je crois bien ne pas me tromper en affirmant que c'est Shakespeare qui l'a cristallisée, incrustée en moi avec *Roméo et Juliette*.

Quelles sont vos scènes préférées ?

De cette pièce, la scène du balcon a été, en noir et blanc, la première qu'il m'ait été offert de voir. J'entretiens donc avec elle une relation affective supplémentaire. Elle a été tant de fois citée, représentée et parodiée qu'on a presque honte à l'évoquer. Il serait pourtant absurde de ne pas en parler. C'est un sommet d'intelligence théâtrale, la finesse psychologique est ici à son comble, et le fait que ce dialogue se déroule dans l'obscurité lui ajoute quelque chose de féerique. On imagine aisément que tout se passe de façon murmurée, presque indistincte, en une sorte de vertige d'amour. C'est beau. C'est même d'une beauté écrasante !...

Mais il y a un autre moment de la pièce auquel je suis particulièrement sensible, parce qu'à mon avis il contient toute l'essence du théâtre. Il s'agit du prologue. En une langue splendide, un chœur s'adresse au spectateur. Celui-ci est solennellement pris à partie, on lui annonce en quoi va consister le spectacle, et surtout on lui donne un rôle dans l'histoire : il sera témoin et juge. Ainsi enrichie par la présence d'un public qui n'est plus neutre ni passif, la pièce perd son caractère de simple divertissement et acquiert une fonction morale, quasi religieuse. On est toujours et plus que jamais dans le théâtre, mais on en retrouve les origines, le rituel sacré, la parole qui dépasse l'humain. On va assister à un sacrifice. On va recevoir une leçon destinée à éloigner en chacun la sottise et l'obstination guerrières. Et derrière ce bref avertissement on devine un instant la présence immortelle de Shakespeare, on entend sa voix de montreur génial qui proclame : « Vous allez voir, bonnes gens, ce que c'est que du théâtre. » Qui ne frissonnerait pas ?...

Y a-t-il, selon vous, des passages « ratés » ?

La beauté de la scène finale, dans le tombeau où repose Juliette, est contrariée par une agitation invraisemblable : un duel dans l'obscurité, l'agonie de Paris tué par Roméo, le transport par Roméo du corps de Paris jusqu'à la dépouille de Juliette, l'arrivée de Frère Laurent au moment du réveil de Juliette, son affolement et son départ précipité, puis l'intrusion des gardes, l'enquête, le retour de Frère Laurent, l'entrée du Prince, de Montaigue et de Capulet. Pour tirer la morale de l'histoire, les discours de réconciliation et de deuil sont nécessaires. « See what a scourge is laid upon your hate, that heaven finds means to kill your joys with love ! » Mais l'intensité du double suicide de Roméo et de Juliette, son intimité sublime, auraient tout de même eu besoin de plus d'immobilité et de silence. Certains metteurs en scène, heureusement, se chargent d'y veiller. Je pense par exemple à l'adaptation de Franco Zeffirelli, qui choisit de ne pas montrer le duel devant le tombeau, et repousse la séquence de deuil au petit matin, en la déplaçant devant le palais du Prince.

Cette œuvre reste-t-elle pour vous, par certains aspects, obscure ou mystérieuse ?

Juliette n'a pas encore quatorze ans. Elle est au tout début de son adolescence. S'agit-il d'un fantasme du théâtre élisabéthain ou d'un fait de société normal à l'époque de Shakespeare ? Je ne pose pas la question de la maturité physique et sexuelle de Juliette, mais j'ai peine à admettre que l'exaltation amoureuse d'une presque enfant, qu'on peut concevoir, évidemment, soit compatible avec cette détermination passionnée, adulte, réfléchie, qui la mène au suicide. La jeunesse extraordinaire de Juliette n'est d'ailleurs jamais reproduite dans les films ou sur scène. Le rôle est toujours tenu par une comédienne plus âgée, alors que si on veut respecter l'indication de Shakespeare il faudrait l'attribuer à une nymphette ambiguë, physiquement tout juste un peu plus évoluée que la fillette qui accompagne le tueur dans *Léon* de Luc Besson. Sans doute verrions-nous aujourd'hui quelque chose d'incongru dans une Juliette trop nettement encore gamine.

Un autre point de mes interrogations concerne Roméo. Je n'oublie pas qu'au début de la pièce il est éperdument amoureux de la belle Rosaline, pour laquelle il soupire en versant de nombreuses larmes. Son revirement affectif est d'une brutalité difficile à concevoir. Sa passion pour Juliette naît en quelques secondes pendant le bal donné par les Capulet, tandis que Rosaline est instantanément oubliée. Ce que le Frère Laurent commente le lendemain sans indulgence : il reproche à Roméo son inconstance. Le génie de Shakespeare est d'avoir choisi ces deux êtres fragiles, improbables, une enfant sans expérience du monde et un jeune homme versatile, pour en faire un couple mythique, le couple par excellence, un symbole de l'amour éternel.

Quelle est pour vous la phrase ou la formule « culte » de cette œuvre ?

Celle sur laquelle le rideau tombe : « For never was a story of more woe/ Than this of Juliet and her Romeo. »

Si vous deviez présenter ce livre à un adolescent d'aujourd'hui, que lui diriez-vous ?

L'hostilité entre deux riches familles de Vérone est un élément facilement compréhensible, mais on peut transposer. Les adolescents d'aujourd'hui savent que la haine est encore là, haine de l'autre, haine de l'étranger, haine de l'immigré sans-papiers, haine raciste. Ils le sentent et ils l'entendent autour d'eux en permanence. Et beaucoup plus que les adultes, eux, adolescents, possèdent assez d'énergie et de générosité pour briser, comme le font Roméo et Juliette, les obstacles idiots que la société dresse continuellement entre les êtres. D'instinct, les adolescents se révoltent contre la parole mesquine et les crimes institutionnalisés des adultes. Je leur parlerais de ces barrières à renverser plutôt que de l'amour et de sa splendeur romantique, qu'ils sont tout à fait capables de découvrir et de décrypter par eux-mêmes, avec ou sans mes commentaires.

*

Avez-vous un personnage « fétiche » dans cette œuvre ? Qu'est-ce qui vous frappe, séduit (ou déplaît) chez lui ?

Frère Laurent est dans la pièce l'unique adulte dont la conduite soit louable. Il agit à la fois pour le bien des très jeunes amants, dont il est un fidèle complice, et pour ce qu'il croit être le bien de la communauté : la recherche d'une solution à l'inimitié irrationnelle qui déchire les deux familles. Le destin réduit à néant ses efforts. C'est une figure essentielle et attachante. Sans son intervention, ni le bonheur ni le malheur n'auraient pu se concrétiser. Nous assistons au ratage complet de son stratagème à la fois audacieux, intelligent et généreux. J'aime l'idée que son rôle soit décisif au cœur de la catastrophe, et même plus néfaste qu'utile, alors que tout le désigne en permanence pour être un sauveur. Frère Laurent est un *loser*. Il tire les ficelles et les ficelles cassent. On ne peut éprouver pour lui que sympathie et tendresse.

Ce personnage commet-il, selon vous, des erreurs au cours de sa vie de personnage ?

On ne peut rien reprocher à Frère Laurent. Il est charitable, inventif, plein d'astuce. Son plan est habile. C'est un religieux qui ne pratique guère la prière et qui compte avant tout sur des subterfuges scientifiques pour contrecarrer la malfaisance des hommes. Malheureusement, le destin intervient et une machine infernale se met en place, qui écrase l'intelligence, la science et les hommes. On est loin des religions judéo-chrétiennes, avec leur Dieu sévère qui se charge de punir les pécheurs. On est beaucoup plus proche de la tragédie antique. La seule erreur de Frère Laurent est peut-être d'avoir lancé lui-même cette machine en faisant confiance à l'aide de son Dieu. Mais puisqu'on en est à parler d'erreurs, on peut aussi s'étonner qu'il soit pris de panique et abandonne Juliette dans son tombeau, alors qu'elle vient de se réveiller à côté de trois morts : Tybalt, Paris et Roméo. Cette fuite empêche Juliette de comprendre ce qui s'est passé, et la laisse seule face à son désespoir.

Quel conseil lui donneriez-vous si vous le rencontriez ?

Il est exemplaire. Sa bienveillance est incontestable, et on pourrait en dire autant de sa compréhension de la nature humaine. Je me vois difficilement donner des conseils à un moine de cette trempe.

Si vous deviez réécrire l'histoire de ce personnage aujourd'hui, que lui arriverait-il ?

Frère Laurent n'a aucune chance de vaincre la force qui s'oppose à lui. Aucun dialogue n'est possible avec le destin. Il n'y a rien à réécrire.

*

Aimeriez-vous mettre en scène cette pièce ? Comment l'interpréteriez-vous ? (Quelle ambiance ? quels acteurs choisiriez-vous, et pourquoi ?)

Je ne me vois guère devant répondre à une sollicitation de ce genre. Je suis romancier et non homme de théâtre. Mais si c'était le cas, je crois que j'aimerais abstraire l'action de son contexte italien et médiéval. Plus de clans ennemis, plus de ville nommable. Seulement des humains déchirés, en noir et blanc, avec une hostilité générale entre individus et entre hordes, une nuit permanente, du vent, beaucoup de révolte inaboutie et de silence. Une humanité redevenue nomade. Et alors, comme un joyau qui réconcilierait le spectateur avec le monde désolant de l'espèce humaine, surgirait l'amour impossible de deux enfants. Je reprendrais l'idée de l'immaturité physique de Juliette et je l'étendrais aux deux héros, en l'exagérant. Deux enfants dans la nuit, follement amoureux et fraternels, qui feraient honte, par leur innocence, au monde dégénéré qui les entoure.

Quelle mise en scène de cette œuvre vous a le plus frappé, et pourquoi ?

J'ai déjà plusieurs fois évoqué l'adaptation de Zeffirelli, de loin pour moi la plus émouvante. Je l'ai vue peu de temps après sa création, en 1969, je crois. Juliette ne pourrait pas être plus jolie, plus fraîche, plus sincère. La scène finale a été débarrassée de sa frénésie et elle est, pour les années soixante, un exemple insurpassable de théâtre filmé. L'époque était historiquement chaotique et pleine de passion, mais c'était aussi – pour le régal des cinéphiles – un âge d'or où la production italienne atteignait, année après année, une qualité éblouissante. Je ne citerai ici que le *Satyricon* de Fellini, en 1969, et le *Décaméron* de Pasolini, en 1971. Comme pour le *Roméo et Juliette* de Zeffirelli, le cinéma, la littérature, le théâtre et la comédie humaine s'y rejoignaient de façon inoubliable.

*

Le mot de la fin ?

Triomphe de la fiction : on ne peut se promener dans Vérone sans évoquer les ombres scintillantes de Juliette et de son Roméo, ni chercher les traces qu'ont laissées les Montaigue et les Capulet. Et ces ombres, ces traces imaginaires, partout dans la ville, on les trouve.

PRÉSENTATION

Roméo et Juliette est une tragédie lyrique : c'est là la clé de son interprétation. Elle fut sans doute le premier succès indiscuté de Shakespeare et elle fournit la preuve qu'il apportait au théâtre quelque chose que ses rivaux ne possédaient pas.

Quoique gâtée par quelques maladresses, la technique en est simple et efficace, et la maîtrise des ressources du théâtre s'y affirme déjà. L'œuvre manque encore de maturité, certes, mais elle n'est pas d'un débutant ; l'écriture montre un Shakespeare habile à utiliser des procédés que bientôt il rejettera ou adaptera à des fins nouvelles. Quoi qu'il en soit de ces imperfections, elles ne pèsent pas lourd en regard de la passion et de la beauté poignantes de l'ensemble.

Dans la conduite de l'action, le mérite principal de Shakespeare est d'avoir doublé la valeur dramatique du poème de Brooke en changeant les mois en jours. Un Hamlet peut attendre sa vengeance ; mais il sied à cet amour et à sa tragédie que quatre jours le voient naître, se consommer et mourir. Toutefois le temps auquel Shakespeare donne une existence dramatique compte double.

CAPULET.

mais au fait quel jour est-ce aujourd'hui ?

PARIS.

Lundi, Monseigneur.

CAPULET.

Lundi ! Ha, ha ! Eh bien, mercredi c'est trop tôt. Disons jeudi. Annoncez-lui qu'elle sera mariée jeudi au noble comte.

Le sentiment de ce mariage qui menace dans trois jours est dramatiquement très important. Plus tard, pour intensifier l'effet, Shakespeare abrège encore le délai d'un jour ; mais en même temps il laisse tomber des phrases anachroniques :

> Je l'irrite quelquefois en lui disant que Paris est l'homme qui convient le mieux.

(dit la Nourrice à Roméo, alors que ni Paris ni Roméo ne sont sur les rangs depuis vingt-quatre heures).

> JULIETTE.
> Vieille malédiction ! Ah le méchant démon !
> Où est le plus grand péché : me vouloir ainsi parjure
> Ou calomnier mon seigneur avec cette langue
> Qui l'a loué par-dessus tout au monde
> Tant de milliers de fois !

(alors que, même en tenant compte de l'exagération de Juliette, la nourrice ne peut louer ou blâmer que depuis moins de quarante-huit heures). Mais voyez comme cette suggestion des communes lenteurs de la vie quotidienne vient à point pour tempérer la tension tragique. Il y a ici moins de négligence qu'une sorte d'art instinctif, et la méthode découle naturellement de la liberté dont jouissait le théâtre à l'époque de Shakespeare.

Quoique l'action principale s'organise rapidement, elle ne débute pas par une scène entre les amants tragiques, mais par une rixe entre des représentants des deux maisons rivales. Fait significatif, ce sont les domestiques, non les maîtres, qui allument la querelle ; car si Tybalt est un foudre de guerre, Benvolio est pacifique ; et si Capulet et Montaigue s'y trouvent entraînés, ce n'est pas sans vergogne. La haine s'étiole, la vendetta est vieille et même le bilieux Capulet reconnaît qu'il ne devrait pas être difficile pour des hommes de leur âge de rester en paix. Si ce n'est pour les domestiques, qui combattent parce qu'on a toujours combattu, et les Tybalt, qui se battent pour rien plutôt que de ne pas se battre du tout, l'inimitié languit ; tout le monde en a assez, et personne plus que Roméo :

> Ô Dieu. Quelle était cette bagarre ?
> Non ne me le dis pas car j'ai tout entendu.

Nous ne sommes donc pas plongés d'emblée dans une tragédie voulue par le destin, mais – ce qui est plus poignant, quoique moins héroïque – dans un drame de la confusion et de la malchance. En tant qu'homme d'action, le pauvre Frère Laurent est au-dessous de tout ; et pourtant il avait de l'imagination : n'était-il pas vraisemblable que les Montaigue et les Capulet, trouvant un matin Roméo et Juliette mariés, sauteraient sur l'occasion pour ne plus avoir à s'entretuer ?

Ayant formulé son propos, Shakespeare le développe, comme c'est déjà son habitude (il la conservera toujours, car elle est admirablement accordée à la continuité d'action de la scène élisabéthaine), par une succession de contrastes dans les caractères et le style. Ainsi, après le cliquetis des armes et le jugement claironnant du prince, nous voyons Roméo pour la première fois, un Roméo fantasque, tout absorbé dans sa tristesse. Son apparition est annoncée par un long passage musical : et, pour bien marquer l'intention, la musique commence dès que son nom est prononcé. Benvolio termine son compte rendu alerte et ironique de la rixe :

> Pendant que nous échangions bottes et coups
> Il en vint d'autres et d'autres, on se battit parti contre parti
> Et le Prince arriva enfin qui départit les partis.

Alors Dame Montaigue s'interpose :

> Oh ! où est Roméo ?
> Aujourd'hui le vîtes-vous ? Je suis heureuse
> Qu'il n'ait point été dans la bagarre.

Et soudain, les hautbois, les cuivres et les timbales font place à l'andante des cordes lorsque Benvolio répond :

Madame, une heure avant que le soleil sacré
Ait percé la fenêtre dorée de l'orient [...]

Montaigue lui fait écho, et c'est annoncé par la douceur caressante de ces vers

Mais lui le conseiller de sa propre pensée
Est à lui-même – avec quelle sincérité je ne puis dire –
Est à lui-même aussi secret, aussi fermé,
Aussi loin de la pénétration et la découverte
Qu'est le bouton mordu par le ver envieux
Avant qu'il pût étendre en l'air ses feuilles douces
Et dédier à la lumière sa beauté.
Si nous pouvions apprendre d'où lui vient son chagrin
Volontiers nous lui donnerions les soins qui conviennent.

que Roméo paraît, maussade, à peine conscient de leur présence. Puis, aussitôt après le mordant assaut d'esprit qui met aux prises Roméo et Benvolio, se présentent – contraste de caractères et de sujets – Capulet et Paris, le vieux tyran doucereux et l'homme « beau comme le marbre », qui parlent mariage. Eux aussi s'en vont afin que Benvolio puisse parier à Roméo qu'il lui montrera pendant la réception des Capulet des beautés à faire pâlir Rosaline, et c'est la première apparition de Juliette, à qui l'on ordonne d'aimer Paris si elle le peut. La scène de la procession des masques jusqu'à la maison Capulet (Roméo toujours maussade) est indûment étirée par le morceau de bravoure sur la reine Mab, qui a la même justification dramatique – ni plus ni moins – qu'un air dans un opéra. Mais Shakespeare le fait concourir à accélérer le rythme de l'action (comme le bal et la fureur de Tybalt), rehaussant ainsi par avance la tranquille beauté de la première rencontre des deux amants, dont les premiers mots échangés forment un sonnet, procédé charmant.

Imaginons-les : le bal est fini, la petite troupe des invités et des masques se retire en bavardant à mi-voix, et Roméo se trouve seul avec Juliette. Elle voudrait bien rejoindre les autres, mais lui, masque bas, s'avance vers elle comme un pèlerin vers un sanctuaire.

> Si je profane avec ma main qui n'est point digne…

Peut-on imaginer plus belle première rencontre ? Allumer leur passion dès le premier coup d'œil eût été banal : les histoires d'amour de deux sous commencent ainsi. Au contraire, il y a quelque chose de sacramentel dans cette cérémonie, quelque chose de timide, de grave et de doux. Le mariage est déjà célébré. Et pourtant, elle est si enfant ! Rendue grave par la gravité tremblante de Roméo, elle s'évade enfin dans le rire (sa défense quand le baiser accordé éveille la passion de Roméo) à la fin du dernier quatrain dont elle brise le mètre :

> Vous embrassez selon les plus belles manières.

La tragédie à venir gagnera en profondeur par le souvenir de ces débuts innocents. La fin de cette première rencontre est aussi chargée de sens : à peine touchés par l'amour, ils doivent quitter le paradis des amoureux. Roméo apprend qui est Juliette et accepte ce coup du destin. Une heure plus tôt, il faisait profession de mélancolie sous les quolibets de Mercutio et de ses compagnons. À présent, en pleine liesse, il entre courageusement dans une sombre réalité. Puis, comme les invités s'en vont et que le rire s'éteint, Juliette aussi apprend et affronte son destin :

> Ô mon unique amour né de ma seule haine !
> Inconnu vu trop tôt, et reconnu trop tard !
> Monstrueuse est pour moi la naissance d'amour,
> Que je doive aimer mon ennemi détesté !

L'enfant n'est plus une enfant.

Après le chœur du Second Prologue, Roméo paraît, seul. Tout est prêt pour le duo d'amour, la fameuse scène du balcon. Mais Shakespeare la diffère pour la rehausser, lorsqu'elle viendra, par le plus beau contraste qu'il ait encore ménagé. Par la même occasion, il précise le caractère de Mercutio. Que se passe-t-il quand Mercutio et Benvolio arrivent, poursuivant Roméo ? Celui-ci se cache quelque part sur la scène. Où ? le Premier Folio ne nous le dit pas, mais ce qui est sûr, c'est qu'au temps de Shakespeare, le mur du verger était seulement imaginé par l'auditoire, auquel Benvolio n'avait pas besoin de dire deux fois que Roméo venait de le sauter. Cette absence physique de mur donnait à la scène une unité dramatique que les productions modernes ont perdue. Roméo est là, tout près, presque présent derrière son mur pour rire, et lui qui n'aspire qu'à Juliette doit subir les tirades paillardes de Mercutio sur Rosaline.

Ce Mercutio, incarnation de la sensualité, domine le plateau de sa présence lubrique, tandis qu'à l'arrière-plan on devine Roméo, qui porte déjà au front la marque de la tragédie. Il s'agit bien de Rosaline ! Que lui réservent l'avenir et cet autre cœur, passionné comme le sien, qui l'attend ? Telle est l'éloquence du tableau, résumé par Roméo après le départ des deux compères :

> Il rit des plaies, celui qui n'a jamais été blessé !

Dissonance qui est une préparation parfaite pour l'harmonie à venir ; à peine avons-nous cessé d'entendre les obscénités de Mercutio que Juliette est à son balcon.

Pendant toute cette scène fameuse, Shakespeare varie et renforce son harmonie au moyen des procédés les plus divers. À la fin, ces vers

> D'ici je vais à la cellule de mon père spirituel
> Pour demander son secours et lui dire mon bonheur.

introduisent un nouveau meneur de jeu : Frère Laurent. Son importance se manifeste d'emblée par la longueur de sa première tirade : Shakespeare a déjà l'air de penser à la potion de Juliette. Tout va bien, le frère est sentencieux, les amants sont en extase, et Mercutio, Benvolio et la nourrice composent un chœur joyeux. La seule note prémonitoire est frappée comme en passant, avec légèreté :

> Tybalt, le parent du vieux Capulet, lui a envoyé une lettre à la maison de son père.

Enfin la scène du mariage clôt ce « mouvement » : la jeunesse triomphante jette son défi, l'homme d'âge prêche une sage lenteur. C'est une consommation tranquille, le calme avant l'orage. Nous sommes à mi-chemin.

Mais voici que, en opposition immédiate, s'avancent Mercutio et Benvolio, l'épée au flanc, suivis de serviteurs armés, le premier si excité que l'autre le conjure :

> Je t'en prie, bon Mercutio, retirons-nous :
> Il fait chaud, et les Capulet sont dans la ville ;
> Si nous les rencontrons nous n'éviterons pas une querelle,
> Par ces chaudes journées bouillonne le sang fou.

Et d'un seul coup nous voici plongés dans la tragédie.

La scène qui suit est la plus dramatique de la pièce. Toute l'action, jusqu'ici, préparait cette rencontre de Roméo et de Tybalt qui en constitue la crise. Tybalt a vu Roméo lorgner, sous le couvert du masque et certainement pas pour le bon motif, sa cousine Juliette. Mais pour Mercutio et Benvolio, Roméo est toujours le nonchalant adorateur de Rosaline et le contempteur de la fameuse querelle, obligé soudain, par l'insulte d'un Capulet, de prouver qu'il est un homme. Ils ne savent pas comme nous qu'il vient de nouer avec Juliette un lien sacré propre à muer l'inimitié des deux maisons en alliance.

Le moment est souligné par un silence éloquent ; que répondra Roméo à une insulte aussi poliment exprimée ?

> Roméo, l'amour que je te porte ne peut trouver
> Meilleure expression que celle-ci : tu es un lâche.

Benvolio et Mercutio, Tybalt lui-même, ne mettent pas sa réponse en doute, mais pour nous le silence qui intervient (et qui ne fait que les étonner) est un suspens. Nous savons ce qui est en jeu. Pour Roméo, l'instant est chargé de tant d'émotions diverses que l'acteur chargé du rôle peut l'interpréter d'une demi-douzaine de manières, toutes légitimes (c'est à cela qu'on peut jauger une situation dramatique). Des brèves minutes passées avec Juliette sort-il si enchanté dans son bonheur que l'aiguillon de l'insulte ne le touche pas et qu'il contemple indifférent ce Tybalt et sa folie ? Refoule-t-il une colère immédiate en ravalant son orgueil et le mépris de ses amis, comptés l'un et l'autre pour rien au prix de Juliette ? Quoi qu'il en soit, lorsqu'il répond enfin

> Tybalt, la raison que j'ai de t'aimer
> Excuse la rage d'un pareil salut ;
> Je ne suis pas un lâche ; donc adieu
> Car je le vois, tu ne me connais pas.

l'énigme n'est claire que pour nous. Notez que c'est toujours le Roméo friand de devinettes qui parle, mais combien changé ! Nous pouvons aussi savourer la perplexité des comparses devant ces vers :

> Ainsi, bon Capulet – et ce nom, il m'est cher
> Tout autant que le mien – sois satisfait.

Mais ils ne devinent rien et Roméo passe.

Sur chacun des personnages la situation fait une impression différente, nouvelle preuve de qualité dramatique. Benvolio reste muet : il est pour la paix, mais pas au prix de pareille lâcheté. Quant à Tybalt, l'attitude pacifique de Roméo le couvre de ridicule ; or, ce « brillant maître des cérémonies » prend très mal le ridicule, et saisit au vol la chance que lui donne Mercutio de retrouver sa dignité fanfaronne, tandis que Mercutio, en provoquant Tybalt, ajoute à la situation le piquant de l'inattendu. En effet, que diable vient-il faire dans cette galère de la vendetta des Capulet et des Montaigue ? Si l'on regarde en arrière, on s'aperçoit qu'il brûle depuis longtemps d'administrer une leçon au « raffiné » Tybalt, de lui montrer qu'on ne la lui fait pas *alla stoccata*. Et en deux temps trois mouvements une catastrophe fortuite vient tout changer, le plus vivant personnage de la pièce est anéanti sur la scène et la charmante rhétorique de la tirade de la reine Mab noyée dans le sang.

Cette mort inattendue, Shakespeare l'utilise pour précipiter un changement capital chez Roméo, et c'est ce changement intérieur – non l'arbitraire des événements – qui détermine le cours tragique que va prendre la pièce. Après cette parenthèse d'action et de paroles violentes, Roméo reste seul sur la scène, et un sentiment plus simple, plus grave, plus austère que ceux que nous lui connaissons commence à s'épancher en vers mesurés :

> Ce gentilhomme, proche parent du Prince,
> Mon véritable ami, reçoit ce coup mortel
> Pour moi ; et ma réputation
> Est atteinte par l'injure de Tybalt, de ce Tybalt
> Qui une heure fut mon cousin : douce Juliette,
> Ta beauté m'a donc fait un efféminé,
> Elle amollit en moi l'acier de ma valeur !

Puis il apprend que son ami est mort, accepte son destin

> Le noir destin de ce jour sur d'autres jours est suspendu,
> Celui-ci commence un malheur que d'autres devront finir.

et stupéfie le sanglant Tybalt revenu jouir de son triomphe. En une centaine de mots, mais avec un génie du mouvement et de l'expression qui transcende tout, Shakespeare a noué l'action de sa pièce et précipité son héros à l'abîme.

Dès lors, l'action se poursuit à un rythme accéléré, nourrie de contrastes, de violences, et veinée, pour le moins, de sauvagerie gratuite. En fin de compte, c'est une tragédie de la malchance, à laquelle Shakespeare est lié par son canevas. Déjà toutefois nous discernons la révolte de son sens dramatique, qui plus tard régira les tragédies de la maturité ; les accidents sont excitants, mais la tragédie qu'ils déterminent n'a pas de sens ; il s'efforce donc, en fouillant les caractères, de rendre le dénouement vraisemblable. Pure malchance, certes, que Balthazar et non Frère Jean apporte à Roméo exilé la nouvelle de la mort de Juliette ; mais c'est la précipitation insensée de Roméo qui empêche Frère Laurent de réparer l'erreur. Stratagème plus subtil encore, c'est le repentir trop bien simulé de

Juliette qui pousse Capulet ravi à avancer le mariage d'un jour, détail qui suffira à changer la vie en mort. Ces deux amants sont voués au désastre non seulement par le Prologue, mais par leur caractère. Si Shakespeare ne les affranchit pas des contingences de leur situation avec la maîtrise qu'il déploiera dans les tragédies de la maturité, il n'en demeure pas moins qu'une fois atteint leur plein développement dramatique, nous ne pouvons plus envisager pour eux de fin heureuse.

Roméo et Juliette est une tragédie dédiée à la jeunesse ; l'âge et l'expérience n'y jouent pas le beau rôle. Frère Laurent est compatissant, mais d'une charité lourde et pédante : c'est l'image même de la vieillesse vue par la jeunesse, l'image de la sagesse qui ne sert à rien. Sans lui accorder plus de vie que n'en avait son modèle dans le poème de Brooke, Shakespeare lui donne une étrange réalité, confesseur fantôme dans la pénombre de sa cellule, égal refuge pour Roméo, Paris et Juliette, et qui n'existe que pour eux.

La ligne qui sépare la jeunesse de la vieillesse est arbitraire, quoique parfois incertaine. Capulet et Montaigue sont des vieillards de convention, malgré l'âge de leurs enfants qui leur permettrait d'avoir moins de quarante ans. Capulet nous dit que la mort lui a enlevé toutes ses espérances hormis Juliette, ce qui évoque une kyrielle de fils tués dans la vendetta, ou encore une triste série d'effigies enfantines sculptées sur son futur tombeau, à la manière élisabéthaine. Quant à Dame Capulet, elle n'a en somme pas d'âge, puisque après nous avoir appris qu'elle avait quatorze ans à la naissance de Juliette (quatorze ans plus tôt), elle nous dit à la fin que

> Ô mon âme ! Cette vision de mort est comme un glas
> Qui appelle mon vieil âge à son tombeau.

Même anomalie pour la Nourrice, qui doit être vieille, mais qui allaitait son propre enfant en même temps que Juliette.

Cette Nourrice, quel que soit son âge, est une complète réussite. Elle vit merveilleusement dès ses premières paroles :

> Mais par mon pucelage quand j'avais douze ans ! je lui ai dit de venir.

Il est évident que Shakespeare en était gros depuis longtemps et qu'il n'a eu qu'à accoucher d'elle. Il ne fera plus rien d'aussi complet avant Falstaff. Il la connaît si bien qu'il lui accorde d'emblée une longue digression, sans se soucier de l'action. Ce n'est pas un morceau préparé comme celui de Mercutio sur la reine Mab. Elle coule de source, les expressions sont de la Nourrice et d'elle seule, son caractère parle à chaque mot. Cela s'applique d'ailleurs à tout ce qu'elle dit dans la pièce. Dans son langage, nulle trace de ce style conventionnel auquel Shakespeare est encore lié, dans lequel il emprisonne parfois les autres personnages – aucune trace, si ce n'est lorsqu'elle le parodie, et alors il ne nous est pas interdit d'y voir l'annonce à demi facétieuse de la liberté future du poète. Aucune comédienne ne peut échouer dans ce rôle pour peu qu'elle sache parler, mais c'est un rôle si plein de vie qu'il n'exclut pas, d'autre part, une interprétation plus fouillée. En tout la Nourrice est d'une réalité contraignante, depuis son

> Mon éventail, Peter,

quand elle prétend jouer la dame discrète et bien élevée auprès des fils de famille, jusqu'à l'inattendu :

> Ma foi je dis ceci : Roméo
> Est banni ; et je parie le monde entier pour rien
> Que jamais il n'osera venir vous réclamer ;
> Ou s'il le fait, il faudra que ce soit à la dérobée !

Paroles atroces pour Juliette, mais qui, une fois dites, nous paraissent naturelles dans la bouche de sa nourrice.

C'est cette dernière trouvaille qui parfait le caractère. Jusqu'alors nous la prenions pour la bonne et tendre nourrice, nous étions amusés par ses drôleries, mais nous ne pensions guère à elle-même. Voici qu'à présent tous ses traits s'arrondissent en un personnage, oui, ses plaisanteries, ses familiarités, sa vulgarité, et, pour finir, cette candeur lubrique :

> Il vaut mieux, que je crois, vous marier au comte.
> Oh c'est un bien joli monsieur ; et Roméo
> N'est qu'une lavette auprès de lui ; Madame, un aigle
> N'a pas l'œil aussi vert, aussi vif, aussi beau
> Que l'a Paris. Et maudit soit mon cœur,
> Je crois que vous serez heureuse en ce deuxième engagement
> Car il surpasse le premier ! Et en serait-il autrement
> Votre premier est mort…

Imaginez l'effet des deux derniers vers sur Juliette, plongée dans le sacrement d'amour et l'amertume de la séparation. Et la vieille catin est absolument inconsciente d'avoir dit quelque chose d'extraordinaire. À son agneau, à sa coccinelle qui revient de confesse le regard joyeux, trop joyeux, elle est persuadée d'avoir donné le meilleur conseil du monde ! Nous la voyons affairée aux préparatifs du nouveau mariage. Nous l'entendons – chose incroyable – réveiller Juliette avec les mêmes obscénités dont elle la faisait rougir à l'approche de Roméo. Nous la quittons inondant de larmes grotesques le corps qu'elle abandonnait volontiers à un martyre plus grossier. Shakespeare la laisse partir sans commentaires.

Capulet, encore une fois, est le vieillard vu par un jeune homme. Il a plus d'étoffe que le Frère, sans avoir la chair, le sang et l'ossature de la bonne nourrice. Avec ses airs débonnaires, son humour dont il est le premier à rire, sa mauvaise humeur puérile, il représente un type très répandu : le mari, le père, le chef de famille gâté. L'étude serait plus efficace si elle n'était intermittente. La saveur de vanité satisfaite de

> Mais Montaigue est comme moi lié, par la même pénalité.

nous met aussitôt sur un pied de familiarité avec lui. Un peu plus tard, avec le tout venant de

> Bien dit, mes cœurs ! – Vous êtes un freluquet
> Et tenez-vous tranquille, ou – Plus de lumière ! –
> Du diable ! Je vous ferai bien rester tranquille. –
> Allons, gaiement mes cœurs !

nous le voyons *at home* : parfait homme du monde, hôte charmant, le meilleur des hommes – tant qu'on lui laisse faire ce qu'il veut.

Tout vieux qu'il est, il aurait bien pris part à la première rixe ; mais devant le corps de Tybalt il reste silencieux, et c'est Dame Capulet qui crie vengeance. Sans doute aimait-il son neveu, ce qui ne l'empêche pas, en incorrigible mondain, de passer du cérémonieux

> Nous ne ferons pas de grands embarras. Un ami ou deux. Parce que, n'est-ce pas, Tybalt ayant été tué récemment, on pourrait penser que nous ne tenions guère à lui, si nous faisions par trop de réjouissances, vu qu'il était notre cousin.

au révélateur

> Et toi, faquin, va m'engager vingt cuisiniers habiles.

Il n'est pas sans sincérité ni sans dignité dans le cri douloureux qu'il pousse à la mort supposée de Juliette, si tant est que nous puissions deviner l'intention de Shakespeare dans une scène écrite assez à la diable. Et il reste digne et magnanime dans sa peine jusqu'à la fin. C'est une esquisse d'homme, dont le détail est souvent mal réparti et le portrait paralysé par la convention ; mais on reconnaît un homme. Notons enfin que c'est un vieux monsieur très anglais, quoique d'avant l'époque du moderne milord flegmatique.

La convention règne chez plusieurs personnages secondaires, le Prince, Peter, Abraham et ses confrères, Balthazar, le page de Paris, etc. Dame Capulet est floue. Benvolio, plutôt négatif, confident de Roméo et repoussoir pour Mercutio, mais tout de même doué de patience et de compassion, d'esprit et d'ironie, qui font de lui plus qu'une ombre.

Tybalt se définit en grande partie par ce que Mercutio pense de lui :

> C'est le brillant maître des cérémonies. Il se bat comme vous chantez un air d'après les notes. Il garde la mesure, les intervalles, la proportion. Il vous donne une demi-pause et puis, un, deux, le troisième est dans votre poitrine. Un vrai massacreur de boutons de soie. Un duelliste, mon cher, un duelliste. Un gentilhomme de la plus fine fleur de duel dans toutes les causes de premier ou de second ordre.

Mais l'acteur qui joue le rôle n'est pas obligé d'aller jusqu'à le mettre dans la catégorie des

> grotesques zézayants qui posent à l'excentricité… accordeurs de bon ton… ces gens à lancer des modes, ces *pardonnez-moi*…

car ici Mercutio trahit les préjugés de John Bull.

En effet, Mercutio, à partir du moment où Shakespeare se décide à le définir, a tout à fait le tempérament du jeune John Bull de son temps, aussi différent d'ailleurs du gros John Bull moderne que Capulet du père noble de convention. Nous n'apprenons pas grand-chose sur lui jusqu'au souper des Capulet, sinon que John Bull n'est pas hostile à la poésie, et qu'il aime également la paillardise et les contes de fées. Jusqu'alors il souffre de l'incertitude de son auteur à son égard, incertitude masquée par un style de convention. L'authentique Mercutio ne commence à vivre que lorsqu'il dit :

> Où diable est-il ce Roméo ? Il n'est pas rentré chez lui cette nuit ?

Mais dès lors il est lui-même, et, comme la Nourrice, il ne dit plus rien qui ne soit de son cru. Création totale de Shakespeare (son homonyme dans le poème de Brooke n'a rien à voir avec lui), il n'exige à peu près aucune explication pour être clair. Et comme la Nourrice encore, il serait à sa place dans les pièces de la maturité.

Une saine indépendance d'esprit, voilà sa qualité principale ; aussi n'épouse-t-il ni le clan Capulet ni le clan Montaigue. Nous l'avons vu doué d'une joyeuse sensualité qui rehaussait le romanesque de Roméo. Quand leur joute verbale se termine – mots haletants échangés comme balles de tennis – il entoure soudain l'épaule de Roméo d'un bras affectueux et dit à son cadet :

> Allons, cela ne vaut-il pas mieux que les gémissements d'amour ? À présent te voilà sociable, à présent tu es Roméo. À présent tu es ce que tu es, par art aussi bien que par nature.

Voilà sa foi révélée ! À tout prix être ce qu'on est. Le trait est d'autant plus révélateur – et anglais – que cela tombe tout soudain et qu'on n'en parlera plus après. Voilà l'homme : pour lui, pas d'idéaux pensifs ; la vie comme elle vient et la mort quand elle vient. Philosophie marquée au coin du bon sens, réalisme complet, égoïsme sacré. C'est pourtant cet homme qui, avant la fin du jour, ira à la mort pour une cause qui n'est pas la sienne, sur une impulsion spontanée et pour le principe. Mais nulle contradiction ici : de pareilles natures vitales sont confites d'extrêmes. Du reste, Mercutio ne prétend ni à la grandeur ni à la philosophie. Quand l'heure sonne, ce n'est même pas son honneur qui est en jeu, mais à ses yeux une soumission aussi tranquille, aussi déshonorante, aussi vile dépasse les bornes permises. Que les Mercutio se battent par principe, c'est ce qu'ils répugnent à reconnaître. Allons ! battez-vous avec un homme qui casse des noisettes, puisque vous avez des yeux de cette couleur, allez-y hardiment de votre vie, puisque se battre c'est la vie même. Mercutio défie Tybalt parce que c'est plus fort que lui, parce qu'il en a assez de ses airs de monsieur, et qu'il doit le remettre à sa place, puisque personne ne le fait. Il se bat sans haine, sans colère même, sans rechercher le moindre avantage personnel. Il se bat parce qu'il est ce qu'il est, pour en témoigner. Mais il est expédié *alla stoccata*, et voilà notre parfait réaliste, notre égoïste complet, qui meurt pour un idéal. Les extrêmes se touchent.

On a dit que Roméo était une esquisse de Hamlet. C'est assez vrai pour être trompeur. Les nombreuses composantes de Hamlet ont dû germer tout à loisir dans l'esprit de Shakespeare, et bourgeonner çà et là, retardées dans leur plein épanouissement par le lent mûrissement de l'idée fondamentale. Nous décelons des traits de Hamlet dans Roméo, dans Richard II, dans le Jacques de *Comme il vous plaira*, et même ailleurs, là où on les attend le moins. Mais Roméo n'est pas un Hamlet plus jeune et plus amoureux, quoique Hamlet amoureux semble bien être un Roméo désabusé. La ressemblance est superficielle ; elle est commune à beaucoup de jeunes gens qui prennent la vie désespérément au sérieux. Si la mélancolie de Hamlet est essentielle, celle de Roméo est en grande partie une pose ; et n'oublions pas le parti pris de Shakespeare lui-même, ce parti pris de jongler avec les mots et avec les idées qui investit presque toute la pièce, et dont il se libère d'ailleurs à mesure qu'il l'écrit ; et enfin, il y a les vestiges abondants du Romeus de Brooke. Roméo est sur le métier jusqu'à la fin, et le travail n'avance que par à-coups. Les moments significatifs le révèlent, mais si l'on jette un coup d'œil en arrière, on s'aperçoit que le personnage est comme bourré de paille. La première tâche du comédien est de distinguer entre l'essentiel et l'adventice ; sa dernière, en jouant le rôle, de réconcilier l'un et l'autre.

Rhétorique mise à part, le Roméo de

> Hors des faveurs de celle
> Pour qui je suis dans l'amour…
> Hélas, qu'Amour dont les yeux sont bandés
> Puisse découvrir sans yeux
> Le chemin de ses désirs.

ne manque pas de réalité, et s'il paraît trop haut en couleur, eh bien, ce Roméo-là n'était-il pas soucieux avant tout de se donner une palette ? Et pourtant, dans ces arabesques verbales, nous découvrons les indices d'une mélancolie trop profonde pour être expliquée par l'entêtement de Rosaline. L'inconséquence de

> Montre-moi donc une surpassante beauté ;
> À quoi servira sa beauté sinon comme note en marge
> Où je lirai celle qui passe la surpassante beauté ?

est d'un cynisme adolescent, mais trahit sa nature inquiète. Et Rosaline était une Capulet, semble-t-il : si elle lui avait souri, son étoile aurait encore été néfaste. Certes, il pose, plus amoureux de l'amour que de Rosaline, il pose pour lui-même, pour sa famille et pour ses amis, pas mécontent, ma foi, du souci qu'il leur cause. Mais en profondeur, cette âme qui, tout en suivant les masques à la fête des Capulet,

> appréhende
> Une conséquence encore dans les étoiles

montre cette qualité de sensibilité qui classe un homme hors de la foule insouciante, et l'oblige à regarder son destin en face quand il frappe. Quelques touches, donc, et la mélodie toute personnelle de son discours, font de lui, d'emblée, une figure tragique.

Il voit Juliette. Ils sont jeunes, purs et innocents ; lui autant qu'elle, car ce n'est pas sans raison que Shakespeare lui donne pour premier amour cette Amazone de Rosaline, ou que les premières paroles qu'il adresse à Juliette en lui effleurant le bout des doigts sont :

> Si je profane avec ma main qui n'est point digne
> Cette châsse bénie,

ou que leur premier échange se plie au gracieux formalisme d'un sonnet, ou que le baiser qui le scelle est mi-enjoué mi-sacramentel. Quelques mots, et les jeux sont faits : ils apprennent qui ils sont, jettent un regard au fond de l'abîme et n'y pensent plus. La passion virginale les emporte jusqu'à sa consommation naturelle. Qu'est-ce qui pourrait les arrêter ? Ni la méfiance que donne l'expérience, ni les conseils de la Nourrice ou de Frère Laurent, elle sans conscience, lui aussi candide qu'eux. La scène du balcon est comme le chant de deux oiseaux ; littérairement, sa réussite est de soutenir d'un bout à l'autre, sans histoire, sans conflit, ces pures antiphonies de la joie.

Quoique les amants, et le Frère lui-même, ne séparent pas le mariage de sa consommation, il est de l'essence de la tragédie que leur hâte passionnée soit contrecarrée par le destin qui les oblige à consommer leur amour dans la peine. En un sens, le bonheur extatique de Roméo aide à précipiter le coup en lui faisant dédaigner l'insulte de Tybalt ; mais il assure son redressement après la mort de Mercutio : c'est un tout autre Roméo que l'amoureux transi de Rosaline, celui qui contemple le corps de Tybalt, un Roméo sévère, prédestiné, dédaigneux de l'épée du Capulet qui arrive à la rescousse.

Les démonstrations hystériques de la scène suivante, dans la cellule de Frère Laurent, où il apprend son bannissement, semblent constituer une régression psychologique ; c'est que Shakespeare a emprunté l'épisode, parfois mot à mot, au poème de Brooke, mais le Roméo que nous retrouvons à Mantoue est bien celui de Shakespeare. L'écriture maintenant est dépouillée de toute préciosité, elle suggère beaucoup plus qu'elle n'énonce et sa simplicité est grosse de pensée et de sentiment :

> C'est ainsi ? Alors je vous défie, étoiles !

Voilà tout ce que Roméo dit en apprenant la mort de Juliette : mais comment montrer plus éloquemment l'âme écrasée par le coup ? Dans un éclair il voit ce qu'il va faire et nous le laisse ignorer : que Balthazar aille louer des chevaux, c'est tout. Mais, resté seul,

> Juliette, près de toi je serai couché cette nuit.

Tout cela exige une puissance d'expression peu commune chez le comédien que la rhétorique abandonne, exigence relativement neuve quand la pièce fut écrite et dont l'accomplissement fut peut-être l'un des facteurs du grand succès remporté. Suit la scène de l'apothicaire, empruntée à Brooke, mais complètement transformée et qui permet à Shakespeare de nous présenter à loisir le Roméo qui vient de mûrir dans son imagination.

> Combien souvent les hommes sur le point de mourir
> Se sont sentis joyeux ! Ceux qui veillent sur eux
> Disent : l'éclair avant la mort.

lui fait-il dire plus loin. Sans le rendre joyeux, il lui donne cette étrange clarté de vision et d'esprit qui appartient à l'homme condamné par le destin, cette attention surhumaine aux petites choses propre à celui qui sait qu'il va mourir. Il lui donne une philosophie de la vie aux antipodes de la pétulance égoïste du jeune garçon qu'il était encore hier : le mépris du destin de ceux qui n'osent pas lancer le coup de dés du bonheur. À l'apothicaire qui cherche le poison :

> Es-tu si nu et comblé d'infortune
> Et crains-tu donc la mort ?

Mais pour lui :

> Et toi, cordial et non poison, viens avec moi
> À la tombe de Juliette où je me servirai de toi.

La vie l'a brisé, et lui, à son tour, rompt le pacte avec la vie. Il sait qu'il péchera en se tuant : tant pis, il péchera. Il implore Paris de ne pas le provoquer, et, provoqué, le massacre sauvagement. Plus rien ne compte que d'être seul avec sa morte. Ironie amère, à peine la voit-il qu'il devine sans le savoir la vérité qui doit les sauver :

> Ô mon amour, ma femme,
> La mort a sucé le miel de ton haleine
> Et n'a pas eu de prise encor sur ta beauté
> Et tu n'es pas conquise. L'enseigne de beauté
> Est encor cramoisie sur tes lèvres, tes joues
> Et le pâle drapeau de la mort n'est pas avancé.

Et encore, après un regard au cadavre de Tybalt :

> Ah ! chère Juliette,
> Pourquoi es-tu si belle encore ?

Ce Roméo si clairement conçu dès le début, si passionnément réalisé dans l'écriture, si profondément senti à la fin, ce Roméo achevé, Shakespeare dut voir en lui la preuve vivante qu'il était maintenant capable de mouler une figure tragique assez puissante pour porter seul une pièce tout entière.

Juliette : une enfant. C'est ce qu'il faut comprendre, car tout le reste en dépend. Qu'elle ait quatorze ans comme ici, ou seize ans comme chez Brooke, n'importe pas. Sa tragédie est celle d'une enfant, et c'est ce qui fonde son pathétique. Son innocence hardie est d'une enfant, de même que sa confiance candide en sa nourrice, sa rage à la nouvelle de la mort de Tybalt et ses terreurs lorsqu'elle va prendre la potion. C'est un cliché dangereux de prétendre qu'aucune comédienne ne peut jouer le rôle avant d'être trop vieille pour en avoir le physique. Une Juliette doit être et paraître une jeune fille de quatorze à seize ans, et toute sophistication (ou pis, toute affectation de maturité innocente) est la ruine du rôle. Il ne faut pas non plus l'assimiler à quelque jeune fille moderne en voie d'indépendance, qui en saurait assez pour croire qu'elle en sait davantage, pour prendre le contre-pied de tout ce qu'on lui dit. Pour Juliette, la vie qu'elle entrevoit autour d'elle est mi-jungle sauvage, mi-conte de fées, et ce qu'on en peut attendre de plus estimable, c'est la fièvre qui allume le sang. Juliette est certes précoce, mais la vie plus resserrée et plus intense de son temps mûrissait plus vite les passions.

On ne peut la définir non plus comme sensuelle, car la sensualité est appesantissement bien plutôt que fièvre. Son amour est régi par l'imagination. Il est inévitable qu'il en soit ainsi : autrement, comment Shakespeare eût-il mis en œuvre la poésie dont il débordait, et comment le jeune garçon qui jouait le rôle eût-il pu l'exploiter ? La beauté de l'histoire, ses douleurs aussi, ont pour source l'imagination. Le comble de sa joie (promise, jamais réalisée), Juliette l'atteint dans le lyrisme :

> Galopez vite, ô vous coursiers aux pieds de feu…

Et c'est par la pensée qu'elle souffre les affres du mariage avec Paris et les terreurs du tombeau.

Le prompt épanouissement de sa féminité est d'autant plus éclatant que le prélude en avait été calme. L'obéissant

> Madame, me voici. Que désirez-vous ?

quand elle paraît pour la première fois, sa docilité devant le bavardage de la Nourrice, la simplicité de

> C'est un honneur que je ne rêve point encore.

par quoi elle répond à l'allusion au grand mariage qui l'attend ; tels sont les premiers contacts que nous avons avec elle. Où trouver demoiselle plus soumise ?

On ne devine rien de plus, à sa première rencontre avec Roméo, dans l'équivoque qu'elle maintient avec une modestie affectée, si ce n'est peut-être dans la petite pointe

> Vous embrassez selon les plus belles manières.

par laquelle elle esquive l'obligation de rendre le baiser. Mais un instant plus tard, jaillit le premier éclair de la vraie Juliette, qui paraît la révéler à elle-même autant qu'à nous :

> Ô mon unique amour né de ma seule haine
> Inconnu vu trop tôt, et reconnu trop tard !
> Monstrueuse est pour moi la naissance d'amour
> Que je doive aimer mon ennemi détesté !

Et elle reste là, éperdue au miracle qui se joue en elle (comme Roméo, plus tard, pénétré d'horreur devant le cadavre frais de Tybalt) jusqu'à ce que la Nourrice étonnée l'emmène. Dans les scènes suivantes, elle paraît plusieurs fois au balcon, attendant la Nourrice messagère, attendant la nuit de noces ; mais ce n'est qu'après l'exil de Roméo à Mantoue qu'elle occupe vraiment le centre de la scène, en butte aux coups de la Fortune. Elle se tuera plutôt que de céder, et elle a quatorze ans ! Digne et résolue, elle tient tête à sa mère stupéfaite, pour éclater, l'instant d'après, en sanglots impuissants, qui déconcertent son père, mais sans l'émouvoir. Il la met en demeure, sa mère la repousse, sa nourrice la trahit, elle n'a plus que Frère Laurent pour la protéger. Réfugiée auprès de lui, elle y trouve Paris, à qui elle doit donner le change, tandis qu'il la revendique pour femme avec une assurance tranquille qui va jusqu'à l'exigence d'un baiser ! Elle quitte le vieillard ébranlé, armée du seul secours qu'il puisse lui offrir, secours un peu moins désespéré que le poignard qui ne la quitte jamais. Le temps presse, et dans son affolement elle l'abrège encore en outrant le rôle qui lui est dévolu. Elle boit le poison et se réveille dans le caveau, remplie d'espérance

> Ô secourable frère ! Où est mon seigneur ?
> Je me rappelle bien le lieu où je dois être,
> Et c'est là que je suis. Où est mon Roméo ?

pour s'entendre dire

> Ton mari est étendu là mort près de ton cœur.

et voir Frère Laurent, même lui, se détourner et l'abandonner. Elle l'accompagne d'une apostrophe cinglante :

> Va, va-t'en donc, car moi je ne m'en irai pas.

Le poignard de Roméo est tout ce qui lui reste.

Si son adieu à la vie est bref, c'est sans doute parce que celui de Roméo a été long ; mais tout effet de théâtre mis à part, le coup brutal qui brise sa confiance en Frère Laurent, et qui l'amène à choisir la mort sans question, consomme admirablement sa tragédie. En effet, la hâte irréfléchie de sa résolution suprême achève de fixer la nuance de ce tragique. Hier enfant, aujourd'hui femme ! Mais elle n'a pas mûri comme Roméo ni ne s'est élevée à la dignité impersonnelle de la douleur. Pour des raisons évidentes, les femmes de Shakespeare ne trouvent pas cet accomplissement. Elles sont des incarnations de la vie, non de la sagesse. Voici une vie tranchée dans sa fleur, et c'est une chose bien triste que ce massacre d'une enfant trahie.

H. GRANVILLE-BARKER.

NOTICE

Texte

Le texte le plus ancien est le Quarto de 1597, un « mauvais » Quarto généralement considéré aujourd'hui comme une contrefaçon, probablement rédigée de mémoire d'après un texte déjà abrégé pour la scène. Un deuxième Quarto, qui fait autorité, est publié en 1599, « nouvellement revu, corrigé et augmenté ». Le Troisième Quarto (1609) est une réimpression de Q2, ainsi que le Quatrième, du même libraire, sans date. Le Premier Folio de 1623 utilise Q3. Q1, malgré son caractère de mauvais Quarto, contient parfois de meilleures leçons que les autres Quartos et se distingue par l'intérêt de ses indications scéniques, très vivantes. Pollard et Dover Wilson (1919) le considèrent comme un abrégé de la révision par Shakespeare d'une pièce plus ancienne, augmenté de ce qu'un contrefacteur pouvait se rappeler de la deuxième version. Aucun des textes cités n'est divisé en actes et en scènes.

Date

La pièce ne fut inscrite au Registre des Libraires que le 22 janvier 1607, mais elle figure dans la liste donnée par Meres, dans *Palladis Tamia* (1598), des œuvres de Shakespeare. Q1 déclare qu'elle a été jouée par « les comédiens de Lord Hunsdon », titre que prit la Compagnie du Lord Chambellan entre le 22 juillet 1596 et le

17 avril 1597 ; mais il est probable que l'éditeur cite le nom de la compagnie à l'époque de la publication, non de la représentation en question. Une ballade sur le même sujet est inscrite au Registre des Libraires le 5 août 1596, ce qui semble indiquer que la pièce était populaire à l'époque. Certains ont interprété l'allusion de la Nourrice à un tremblement de terre qui se serait produit onze ans plus tôt (I, 3) comme une preuve que la pièce aurait été composée en 1591, mais la plupart des critiques s'inscrivent en faux contre cette assertion (entre autres, E. Dowden, 1900, et E.K. Chambers, 1930). Récemment on a noté une allusion contemporaine à un autre tremblement de terre survenu en 1584, qui semblerait indiquer 1595 comme date de composition. Il n'existe aucun autre élément interne ou externe qui permette de fixer une date précise, mais les critiques s'accordent pour penser, d'après le style, que la pièce a été écrite de bonne heure, quoique assez tard pour être affranchie de l'influence de Marlowe, et qu'elle présente une parenté avec le groupe des pièces lyriques et les *Sonnets* de Shakespeare. Dowden propose 1595 environ. Chambers se range à cet avis (ainsi que J.G. McManaway, 1950) et la place avant *Le Songe d'une nuit d'été*, parce que son thème est parodié dans l'épisode de Pyrame et Thisbé.

Sources

L'Histoire tragique de Romeus et Juliette (1562), poème d'Arthur Brooke, et peut-être le *Palais du Plaisir* de Painter (1566-7), l'un et l'autre tirés de la traduction (1559) par Pierre Boaistuau des *Novelle* de Bandello (1554). Brooke fait allusion à une pièce récente sur le même sujet, mais on ignore tout de cette pièce.

Critique

« La pire que j'aie jamais vue », dit Pepys, mais il parle d'une adaptation de son temps comportant une fin heureuse. Johnson la considère comme « l'une des plus agréables » des pièces de Shakespeare et trouve la « catastrophe » « irrésistiblement émouvante », quoiqu'il déplore la préciosité qui « gâte toujours les endroits pathétiques ». Coleridge et Hazlitt la louent avec enchantement, mais Swinburne se plaint de ce que Shakespeare ait été obligé de s'inspirer d'une version inférieure de l'histoire, omettant « le plus bel incident de tout le conte..., les dernières paroles échangées par Roméo et Juliette mourant », ce qui « nous prive de ce qui aurait été l'endroit le plus tendre et le plus noble de la plus belle de toutes les tragédies d'amour ». H.B. Charlton, en 1948, souligne le caractère expérimental de la pièce, qui s'efforce d'appuyer des thèmes romanesques nouveaux dans la tragédie (inspirés de l'Italien Cinthio) sur une notion déjà archaïque, tirée de Sénèque, du Destin, avec l'aide d'une vendetta familiale présentée d'une manière peu convaincante. Selon N. Coghill, la pièce offre une ressemblance avec la tragédie médiévale et même des indices d'une influence directe du *Troïle et Cresside* de Chaucer. L'insistance de Gervinus (1849) sur la fonction chorique de Frère Laurent, condamnée par Dowden, est encore parfois admise de nos jours.

F.N. LEES.

ROMÉO ET JULIETTE

PERSONNAGES

ESCALUS, *Prince de Vérone.*
PARIS, *jeune noble, parent du Prince.*
MONTAIGUE }
CAPULET } *chefs des deux Maisons rivales.*
Un vieil homme, de la famille Capulet.
ROMÉO, *fils de Montaigue.*
MERCUTIO, *parent du Prince et ami de Roméo.*
BENVOLIO, *neveu de Montaigue et ami de Roméo.*
TYBALT, *neveu de Dame Capulet.*
FRÈRE LAURENT, *Franciscain.*
FRÈRE JEAN, *du même Ordre.*
BALTHAZAR, *serviteur de Roméo.*
SAMSON }
GRÉGOIRE } *serviteurs de Capulet.*
PETER, *serviteur de la Nourrice de Juliette.*
ABRAHAM, *serviteur de Montaigue.*
Un apothicaire.
Trois musiciens.
Le page de Paris.
Un autre page.
Un officier.
DAME MONTAIGUE, *épouse de Montaigue.*
DAME CAPULET, *épouse de Capulet.*
JULIETTE, *fille de Capulet.*
La Nourrice de Juliette.
Citoyens de Vérone.
Parents des deux maisons.
Gardes, hommes du guet et autres.
LE CHŒUR.

Scènes : Vérone, Mantoue.

PROLOGUE

Entre LE CHŒUR.

Deux anciennes Maisons d'égale dignité
Dans la belle Vérone où se tient notre scène
Font un nouvel éclat de leur antique hargne,
Le sang civil salit les mains des citoyens.

Or dans le sein fatal de ces deux ennemis
Deux amants prennent vie sous la mauvaise étoile ;
Leur malheureux écroulement très pitoyable
Enterre en leur tombeau la haine des parents.

Les terribles moments de leur amour mortel
Et l'obstination des rages familiales
Que rien sinon la mort des deux enfants n'apaisera,
Pendant deux heures nous le jouerons sur ce théâtre ;

Et si vous nous prêtez une patiente oreille,
Tout défaut, notre zèle le rachètera.

Il sort.

ACTE I

Scène I

Vérone. Une place publique.
Entrent SAMSON *et* GRÉGOIRE, *de la Maison Capulet, avec épées et boucliers.*

SAMSON

Ma parole, Grégoire ! nous ne mettrons pas ça dans notre sac.

GRÉGOIRE

Hé non, parce qu'alors nous serions des chiffonniers.

SAMSON

Je veux dire que si on nous met en colère, nous tirerons l'épée !

GRÉGOIRE

Hé oui, car dans la vie faut toujours se tirer des pieds.

SAMSON

Je frappe vite, quand on m'excite[1].

GRÉGOIRE

Mais t'es pas assez vite excité pour frapper.

SAMSON

Un chien de la Maison de Montaigue, ça m'excite.

GRÉGOIRE

S'exciter, c'est remuer, pour être brave faut tenir dur. Donc si tu t'excites tu fous le camp.

SAMSON

Un chien de cette Maison-là ça m'excite à tenir dur. Je prendrai le côté du mur contre les hommes et contre les filles de Montaigue !

GRÉGOIRE

Ce qui prouve que t'es un faible esclave : le plus faible, il se met au mur.

SAMSON

Bien dit ; et puisque les femmes c'est les vases les plus fragiles [2], elles sont toujours contre le mur ; alors j'écarterai du mur les hommes de Montaigue, et je presserai les filles sur le mur !

GRÉGOIRE

La querelle est entre les maîtres, et entre nous leurs hommes.

SAMSON

C'est tout pareil ! Je me montrerai un tyran. Après que j'aurai battu les hommes, je serai cruel avec les filles. Je les passerai au fil de l'épée.

GRÉGOIRE

Au fil de l'épée les filles ?

SAMSON

Oui je les passerai au fil de l'épée ou je les enfilerai, prends-le dans le sens qui te plaira.

GRÉGOIRE

Celles qui le sentiront, elles le prendront dans le vrai sens.

SAMSON

C'est moi qu'elles sentiront tant que je serai capable de tenir dur. Car tu sais, je suis un assez joli morceau de chair.

GRÉGOIRE

Hé ! on sait bien que t'es pas une morue, si tu l'étais tu ferais pas l'affaire. Allons, tire-le ton instrument : en voilà deux de la Maison de Montaigue.

Entrent Abraham et un autre serviteur.

SAMSON

Mon arme nue est tirée. Toi, querelle ! Je suis dans ton dos.

GRÉGOIRE

Ouais ! dans mon dos. Pour filer ?

SAMSON

Aie pas peur.

GRÉGOIRE

Par la Vierge, avoir peur de toi ?

SAMSON

Gardons la loi pour nous et laissons-les commencer.

GRÉGOIRE

En passant devant eux je les regarderai de travers, et qu'ils le prennent comme ils voudront.

SAMSON

Non, comme ils oseront ! Je vais mordre mon pouce à leur figure, et tu sais c'est un déshonneur pour eux s'ils le supportent.

ABRAHAM

Est-ce pour nous que vous vous mordez le pouce, Monsieur ?

SAMSON

Je mords mon pouce, Monsieur.

ABRAHAM

Est-ce pour nous que vous vous mordez le pouce, Monsieur ?

SAMSON, *bas.*

La loi est-elle de notre côté si je dis oui ?

GRÉGOIRE, *bas.*

Non.

SAMSON

Non, Monsieur, ce n'est pas pour vous que je mords mon pouce, Monsieur, mais je mords mon pouce, Monsieur.

GRÉGOIRE

Est-ce que vous cherchez une querelle, Monsieur ?

ABRAHAM

Une querelle, Monsieur ? Non, Monsieur.

SAMSON

Parce que si vous cherchez une querelle, Monsieur, je suis votre homme, Monsieur. Je sers un aussi bon maître que vous.

ABRAHAM

Mais pas meilleur.

SAMSON

Bon, Monsieur.

Entre Benvolio d'un côté. Entre Tybalt de l'autre.

GRÉGOIRE

Dis « meilleur » : je vois venir un des parents du patron.

SAMSON

Oui, meilleur, Monsieur.

ABRAHAM

Vous mentez.

SAMSON

Dégainez, si vous êtes des hommes. Grégoire, souviens-toi de la fameuse botte !

Ils se battent.

BENVOLIO

Arrière, fous !
Rentrez vos épées, vous ne savez pas ce que vous faites.

Tybalt s'avance.

TYBALT

Quoi, dégainer parmi ces biches sans cerf[3] ?
Tourne-toi, Benvolio, et regarde ta mort.

BENVOLIO

Je ne fais que maintenir la paix :
Rentre ton épée, ou manie-la pour séparer ces gens.

TYBALT

Allons, l'épée tirée parler de paix ?
Ce mot je le hais
Comme je hais l'enfer, tous les Montaigue et toi :
En garde, couard !

Ils se battent. Arrivent des partisans des deux Maisons qui se joignent au combat ; puis des citoyens avec bâtons et pertuisanes ; et un garde.

UN GARDE

Bâtons, pertuisanes et piques ! Frappez-les, écrasez-les. À bas les Capulet ! à bas les Montaigue !

Entrent le vieux Capulet dans sa robe, et Dame Capulet.

CAPULET

Quel vacarme ! Donnez-moi mon espadon, ho !

DAME CAPULET

Une béquille, oui ! Vous, demander un espadon ?

CAPULET

Mon espadon je dis ! Le vieux Montaigue arrive, il brandit sa lame, il me met au défi !

Entrent le vieux Montaigue et Dame Montaigue.

MONTAIGUE

Toi, infâme Capulet ! Ne me retenez pas, laissez-moi aller !

DAME MONTAIGUE

Je ne vous laisserai point faire un pas du côté de votre ennemi !

Entre le Prince Escalus, avec sa suite.

LE PRINCE

Sujets rebelles, ennemis de la paix, profanateurs
De cet acier souillé du sang prochain, –
Quoi, n'entendront-ils pas ? Vous hommes, bêtes
 sauvages
Qui éteignez le feu de vos rages mauvaises
Avec la fontaine rouge de vos veines,
Sous peine de torture : de ces sanglantes mains
Jetez à terre vos épées si mal trempées [4],
Écoutez la sentence de votre prince irrité.
Trois discordes civiles
Engendrées par des paroles de vent
Par ta faute, vieux Capulet, par ta faute, Montaigue,
Ont trois fois troublé la paix de nos rues
Et fait que les anciens citoyens de Vérone
Laissant les vêtements graves qui leur conviennent
Ont pris de leurs vieilles mains leurs vieilles pertuisanes
Rongées par la paix,
Pour séparer vos haines également rongées.
Si désormais vous troublez l'ordre de la ville
Vos vies paieront pour ce manquement à la paix.
Aujourd'hui que tous se retirent.
Vous Capulet vous viendrez avec moi.
Vous Montaigue vous comparaîtrez cet après-midi
À la vieille Ville-Franche notre Cour de Justice
Et connaîtrez nos volontés en cette affaire.
Encore une fois, sous peine de mort, que tous se retirent !

Tous sortent, sauf Montaigue, Dame Montaigue et Benvolio.

MONTAIGUE

Qui nous a ramené cette vieille querelle ? Dites-moi donc, neveu, étiez-vous là quand ça a commencé ?

BENVOLIO

Les gens de l'adversaire avec les vôtres
Se battaient serré lorsque j'arrivai.
Je dégainai pour les séparer ; alors survint
L'impétueux Tybalt, son épée préparée
Qu'il brandissait par-dessus sa tête en tranchant les vents
Tandis qu'il soufflait ses défis près de mes oreilles,
Et les vents n'en éprouvant aucun dommage
Le sifflaient avec le plus grand mépris.
Pendant que nous échangions bottes et coups
Il en vint d'autres et d'autres, on se battit parti contre parti
Et le Prince arriva enfin qui départit les partis.

DAME MONTAIGUE

Oh ! où est Roméo ?
Aujourd'hui le vîtes-vous ? Je suis heureuse
Qu'il n'ait point été dans la bagarre.

BENVOLIO

Madame, une heure avant que le soleil sacré
Ait percé la fenêtre dorée de l'orient
Un esprit d'inquiétude me poussait dehors ;
Et là sous le berceau des sycomores
Qui prennent racine à l'ouest de la ville
J'aperçus votre fils marchant de si bonne heure.
J'allai vers lui. Mais dès qu'il me sentait
Il se glissait sous le couvert des bois.
Moi, mesurant ses inclinations d'après les miennes
Qui recherchent le plus les lieux où je puisse être le moins vu,
Moi étant un de trop près du triste moi-même
Suivis ma fantaisie sans poursuivre la sienne
Et volontiers j'évitai qui volontiers me fuyait.

MONTAIGUE

Bien des matins on l'a vu là
Avec ses larmes augmentant la fraîche rosée
Ajoutant aux nuages par ses soupirs profonds d'autres nuages.
Mais aussitôt que le soleil égayant tout
De l'est le plus lointain commence d'écarter
Les rideaux vaporeux près du lit de l'Aurore,
Loin de la clarté chez lui mon sombre fils
Se glisse et se renferme dans sa chambre,
Clôt ses fenêtres, chasse le beau jour dehors
Et fait pour lui la nuit artificielle.
Noire et bien redoutable deviendra cette humeur
À moins qu'un bon conseil n'en écarte la cause.

BENVOLIO

Oncle très noble, connaissez-vous la cause ?

MONTAIGUE

Je ne la sais, et de lui je ne l'apprendrai.

BENVOLIO

L'avez-vous pressé de parler par quelque moyen ?

MONTAIGUE

Moi-même et bien d'autres amis nous l'avons fait ;
Mais lui le conseiller de sa propre pensée
Est à lui-même – avec quelle sincérité je ne puis dire –
Est à lui-même aussi secret, aussi fermé,
Aussi loin de la pénétration et la découverte
Qu'est le bouton mordu par le ver envieux
Avant qu'il pût étendre en l'air ses feuilles douces
Et dédier à la lumière sa beauté.
Si nous pouvions apprendre d'où lui vient son chagrin
Volontiers nous lui donnerions les soins qui conviennent.

Entre Roméo.

BENVOLIO

Le voici qui vient ; tenez-vous à l'écart, je vous en prie.
Ou il m'opposera bien des refus, ou je connaîtrai son chagrin.

MONTAIGUE

Je souhaite que vous soyez assez heureux
Pour entendre sa confession. Madame, retirons-nous.

Montaigue et Dame Montaigue sortent.

BENVOLIO

Bon matin, mon cousin.

ROMÉO

Le jour est-il si jeune ?

BENVOLIO

Neuf heures juste sonnées.

ROMÉO

Les tristes heures sont longues.
N'est-ce pas mon père qui vient de partir vivement ?

BENVOLIO

C'était lui.
Quelle peine allonge les heures de Roméo ?

ROMÉO

Ne pas avoir ce qui, si on l'avait, les rendrait brèves.

BENVOLIO

En amour ?

ROMÉO

Hors.

BENVOLIO

D'amour ?

ROMÉO

Hors des faveurs de celle

Pour qui je suis dans l'amour.

BENVOLIO

Hélas, qu'Amour si délicieux à notre vue
Puisse devenir tyrannique et dur à l'épreuve !

ROMÉO

Hélas, qu'Amour dont les yeux sont bandés
Puisse découvrir sans yeux
Le chemin de ses désirs !
Où dînons-nous ? Ô Dieu. Quelle était cette bagarre ?
Non ne me le dis pas car j'ai tout entendu.
Combien l'on a d'affaire ici avec la haine
Mais plus encore avec l'amour !
Quoi donc ! Amour braillard ! Et amoureuse haine !
Oh toutes choses d'abord enfantées de rien !
Ô lourde légèreté ! Sérieuse vanité !
Et chaos difforme de belles apparences !
Plumes de plomb, fumée lumineuse,
Flamme glacée, santé malade,
Sommeil qui toujours veille et n'est point ce qu'il est !
Voici l'amour que je ressens
Moi qui de tout ceci ne ressens point l'amour.
Mais toi ne ris-tu pas ?

BENVOLIO

Non, mon cousin, je pleure.

ROMÉO

Que pleures-tu, bon cœur ?

BENVOLIO

L'oppression d'un bon cœur.

ROMÉO

Voilà, telle est la transgression d'Amour
Car mes peines d'amour pèsent lourd sur mon cœur
Et tu vas les grandir en les pressant encore
Avec les tiennes ; car cet amour que tu me montres
Ajoute plus de peine encore à mon trop de peines.

L'amour est une fumée formée des vapeurs de soupirs :
Purifié, c'est un feu dans les yeux des amants,
Agité, une mer nourrie des larmes des amants ;
Et quoi encor ? La folie la plus sage
Le fiel qui nous étouffe, la douceur qui nous sauve.
Adieu mon cousin.

BENVOLIO

Doucement ! Je te suis
Car tu me ferais tort en me laissant ainsi.

ROMÉO

Hé, je me suis perdu moi-même, je ne suis plus là ;
Ce n'est pas Roméo, ailleurs est Roméo.

BENVOLIO

Mais dis-moi
Sérieusement qui aimes-tu ?

ROMÉO

Quoi, me faut-il gémir et te le dire ?

BENVOLIO

Gémir ? Non, mais dis, sérieusement, qui ?

ROMÉO

Ordonne à un mourant
De sérieusement faire son testament.
Ô mot mal présenté
À celui qui se sent profondément malade !
Sérieusement, ô mon cousin, j'aime une femme.

BENVOLIO

J'ai donc visé bien près
Supposant que tu aimes.

ROMÉO

Tireur vraiment très bon !
Et belle est celle que j'aime.

BENVOLIO

Mais une belle cible
Cousin, se touche bien.

ROMÉO

Oui, cette fois tu touches mal : elle ne veut point
Être touchée par Cupidon : sagesse de Diane ;
Et protégée par une chasteté bien armée
Vit non blessée par l'arc enfantin de l'Amour.
Elle ne veut supporter le siège des mots d'amour
Ni souffrir la rencontre des regards à l'assaut
Ni ouvrir son giron
À l'or capable de séduire les saintes.
Oh elle est riche en beauté, pauvre seulement
En ce que, quand elle mourra
Avec sa beauté mourra tout son trésor.

BENVOLIO

Alors elle a juré de vivre toujours chaste ?

ROMÉO

Elle l'a fait, et en vertu de cette économie
Elle commet le plus énorme gaspillage ;
Car la beauté, par tant de rigueur affamée
Prive de toute descendance la beauté.
Elle est trop belle, trop sage et trop sagement belle
En me désespérant pour sa félicité,
Elle a juré de ne pas aimer, et dans ce vœu
Je vis mort, vivant seulement pour le dire.

BENVOLIO

Laisse-moi te conduire, et oublie d'y penser.

ROMÉO

Oh apprends-moi comment oublier de penser.

BENVOLIO

En rendant leur liberté à tes regards :
Examine d'autres beautés.

ROMÉO

C'est le moyen
De rappeler la sienne, exquise, d'autant plus fort.
Ces heureux petits masques
Qui baisent sur le front les jolies jeunes femmes
Étant noirs font penser qu'ils cachent la beauté claire.
L'homme frappé de cécité ne peut oublier
Le beau trésor de voir, perdu par ses regards.
Montre-moi donc une surpassante beauté ;
À quoi servira sa beauté sinon comme note en marge
Où je lirai celle qui passe la surpassante beauté ?
Adieu, tu ne m'apprendras pas à oublier.

BENVOLIO

Je miserai sur cette affaire ! devrais-je mourir endetté.

Ils sortent.

Scène 2

Une rue.

Entrent CAPULET, PARIS *et un* SERVITEUR.

CAPULET

Mais Montaigue est comme moi lié, par la même pénalité.
Ce n'est pas bien difficile de maintenir la paix pour des hommes de notre âge.

PARIS

Vous êtes l'un et l'autre d'estimable renommée
Et vous voir si longtemps vivre dans la querelle fait pitié.
À présent Monseigneur, que répondrez-vous je vous prie à ma demande en mariage ?

CAPULET

Mais je réponds ce que j'ai déjà répondu :
Mon enfant est encore une étrangère au monde ; elle n'a pas vu muer ses quatorze ans.

Laissez donc deux étés dépérir dans leur orgueil avant
que nous l'estimions mûre pour devenir une épouse.

PARIS

De plus jeunes, Monseigneur, ont fait d'heureuses mères.

CAPULET

Trop tôt se sont gâtées celles qui trop tôt l'ont fait.
La terre a englouti toutes mes espérances
À l'exception d'elle,
Elle est aussi la dame en espoir de mes terres [5].
Mais courtisez-la, aimable Paris, et gagnez son cœur,
Ma volonté en son consentement n'est qu'une partie
Et si elle agrée, dans le champ de son choix
Se trouvent ma voix consentante et mon agrément.
Cette nuit je donne une fête selon la coutume ancienne,
À laquelle j'ai convié toute la compagnie
De ceux que j'aime, et vous parmi la quantité
Un de plus, le très bienvenu,
Vous ferez mon nombre plus grand.
Dans ma pauvre maison cette nuit, prenez la peine
d'apercevoir
Ces étoiles passant sur terre illuminant le sombre ciel.
Le plaisir que connaissent les jeunes gens robustes
Quand l'avril à la belle parure
Marche sur les talons du boiteux hiver,
Vous allez l'avoir ce soir dans ma maison
Parmi ces frais boutons de femmes.
Écoutez-les, voyez-les toutes,
Que vous plaise le plus celle aux plus grands mérites :
Celle qui vue de bien près – ma fille étant l'une –
Pourra faire nombre sans cependant faire le compte…
Allons, venez avec moi. – Trotte, faquin, dans la belle Vérone. Trouve-moi les personnes dont les noms sont écrits là, et dis-leur que ma maison et mon hospitalité sont au service de leur plaisir.

Capulet et Paris sortent.

LE SERVITEUR

Trouve-moi, qu'il dit, les personnes dont les noms sont écrits là. Il est écrit que le cordonnier s'occupera avec son mètre et le tailleur avec ses formes, le pêcheur avec son pinceau et le peintre avec ses filets ! Mais moi on m'envoie trouver ces personnes, dont les noms sont écrits là ! Et moi je ne peux pas trouver ces noms que la personne qui écrit a écrits là ! Faudrait quelqu'un pour m'éclairer. Hé voilà, à la bonne heure.

Entrent Benvolio et Roméo.

BENVOLIO

Bah, l'ami, un feu dévore un autre feu,
Une peine par l'angoisse d'une autre est diminuée,
Tourne jusqu'au vertige
Et rétablis-toi dans le sens opposé,
Un désespoir par la langueur d'un autre se guérit.
Prends donc quelque nouvelle infection par tes yeux
Et le puissant poison de l'ancien mal périt.

ROMÉO

Ta feuille de plantain est très bonne en ce cas.

BENVOLIO

Bonne en quel cas ?

ROMÉO

Pour ta jambe cassée.

BENVOLIO

Es-tu fou, Roméo ?

ROMÉO

Pas fou, mais plus lié que ne peut l'être un fou ;
Enfermé en prison, gardé sans nourriture,
Fouetté, tourmenté et – Bonsoir, mon garçon.

LE SERVITEUR

Dieu vous donne le bonsoir, M'sieur, s'il vous plaît savez-vous lire ?

ROMÉO

Oui… Ma fortune dans mon infortune.

LE SERVITEUR

Peut-être bien que vous l'avez appris sans livre. Mais, je vous demande, est-ce que vous pouvez lire n'importe quelle chose que vous voyez ?

ROMÉO

Fort bien, si j'en connais les lettres et la langue.

LE SERVITEUR

C'est ma foi bien parler, M'sieur, Dieu vous garde en joie.

ROMÉO

Attends, mon garçon : je sais lire.

Il lit :

Le signor Martino, son épouse et ses filles,
Le comte Anselme et ses ravissantes sœurs,
La dame veuve de Vitruvio,
Le signor Placentio et ses charmantes nièces,
Mercutio et son frère Valentin,
Mon oncle Capulet, son épouse et ses filles,
Ma belle nièce Rosaline, Livia,
Le signor Valentio et son cousin Tybalt,
Lucio et la spirituelle Helena.

Une belle assemblée. Où doivent-ils se rendre ?

LE SERVITEUR

Là-haut, dans –

ROMÉO

Où là-haut ?

LE SERVITEUR

Pour souper ; dans notre maison.

ROMÉO

Quelle maison ?

LE SERVITEUR

Celle de mon maître.

ROMÉO

En effet j'aurais dû vous le demander d'abord.

LE SERVITEUR

Et maintenant, sans que vous me le demandiez je vous le dirai. Mon maître, c'est le grand, c'est le riche Capulet. Et si vous n'êtes pas, vous, un de la Maison de Montaigue, je vous prie de venir pour vider une coupe de vin. Dieu vous garde en joie !

Il sort.

BENVOLIO

À cette ancienne fête des Capulet
Soupera la belle Rosaline que tant tu aimes
Au milieu des beautés admirées de Vérone.
Vas-y et d'un œil non prévenu compare
Son visage à certains que je te montrerai ;
Tu verras que ton cygne n'est rien qu'un corbeau.

ROMÉO

Si la dévote religion de mes deux yeux
Admet pareille fausseté,
Alors que mes larmes soient changées en feu !
Et ceux qui si souvent noyés n'ont pas pu périr encore,
Hérétiques transparents,
Que pour mensonge ils soient brûlés !
Une plus belle que mon amour ! Mais le soleil qui perçoit tout
N'a jamais vu son égale depuis le commencement du monde.

BENVOLIO

Allons, tu l'as vue belle, nulle autre n'étant près d'elle,
Elle-même contre elle-même pesée dans tes deux yeux ;
Mais dans la balance cristalline équilibre donc
Ton amour avec une autre belle fille

Que ce soir je te montrerai brillante à cette fête,
Et la belle d'à présent deviendra bien pauvrement belle.

ROMÉO

J'irai, non pour que ta vision me soit montrée
Mais pour me réjouir des splendeurs de ma belle.

Ils sortent.

Scène 3

Une chambre dans la maison de Capulet.
Entrent DAME CAPULET *et* LA NOURRICE.

DAME CAPULET

Allons, Nourrice, où est ma fille ? Appelle-la, qu'elle vienne me parler.

LA NOURRICE

Mais par mon pucelage quand j'avais douze ans ! je lui ai dit de venir. – Hé, mon agneau ! Hé, la petite garce ! – Dieu me pardonne. – Où est-elle cette enfant ? – Hé, Juliette !

Entre Juliette.

JULIETTE

Voyons, qui m'appelle ?

LA NOURRICE

Votre mère.

JULIETTE

Madame, me voici. Que désirez-vous ?

DAME CAPULET

Voilà. Nourrice, laisse-nous un instant.
Nous allons parler en secret. – Nourrice, reviens après tout,
J'y pense, tu peux entendre notre entretien.

Tu sais que ma fille est d'un assez bel âge.

LA NOURRICE

Par ma foi, à une heure près je dirai son âge.

DAME CAPULET

Elle n'a pas encor ses quatorze ans.

LA NOURRICE

Et moi je parie quatorze de mes dents
– Encor c'est parler à mon dam, j'en ai plus que quatre –
Qu'elle n'a pas encore quatorze. Combien de temps
qu'il y a
Jusqu'à la Saint-Pierre-aux-Liens ?

DAME CAPULET

Une quinzaine et quelques jours.

LA NOURRICE

Quelques jours ou pas quelques jours, de tous les jours
de l'année
Quand viendra la veille de Saint-Pierre, dans la nuit elle
aura quatorze.
Suzanne et elle – Dieu sauve toutes les âmes
chrétiennes –
C'était juste le même âge. Bien, Suzanne est avec Dieu,
Elle était trop bonne pour moi. – Mais ainsi que je le
dis,
La nuit de la Saint-Pierre-aux-Liens, Juliette aura ses
quatorze.
Elle les aura, par la sainte Vierge ! Parce que je m'en
souviens bien,
Ça fait maintenant onze années depuis le tremblement
de terre,
Et elle a été sevrée – non jamais je ne l'oublierai,
Justement ce jour-là de tous les jours de l'année –
Car j'avais mis, figurez-vous, de l'absinthe à mon
mamelon,
Assise au soleil que j'étais sous le mur du pigeonnier ;
Mon maître et vous vous étiez allés à Mantoue ; –

Non mais j'en ai une mémoire ! – alors comme je le disais,
Quand ça a goûté l'absinthe sur le bout de mon téton
Et quand ça l'a senti amer, ah bien alors, ah la follette !
Fallait la voir en colère ! se battant avec le téton !
« Tremble » a fait le pigeonnier : et pas besoin, je vous le dis,
De me prier de déguerpir !
Eh bien de ce temps-là il y a onze ans ;
Et alors elle se tenait toute seule, et même oui par la sainte Croix,
Elle pouvait déjà courir, elle se dandinait partout ;
Même que le jour d'avant elle s'était cognée sur le front
Et mon mari – que Dieu ait pitié de son âme,
C'était un homme gai – en relevant l'enfant :
« Oui, qu'il dit, alors tu es tombée sur ta figure ?
Tu vas tomber sur le dos quand tu seras plus intelligente.
C'est-y vrai, petite Jule ? » Et par Notre-Dame
La petite garce elle cesse de pleurer, elle répond « Oui ».
Faut voir comme tombe à propos la bonne plaisanterie !
Non je vivrais mille ans, ah vraiment je vous le promets
Jamais je ne l'oublierais : « C'est-y vrai, petite Jule ? »
Et la folle, ça s'arrête de pleurer et ça répond « Oui ».

DAME CAPULET

Allons, assez là-dessus, Nourrice, tais-toi.

LA NOURRICE

Oui Madame, et puis je ne peux pas m'empêcher de rire
En pensant que ça cesse de pleurer et ça répond « Oui ».
Et puis, je le garantis, ça avait au front
Une bosse aussi grosse qu'une couille de jeune coq,
Un mauvais coup ; et ça pleurait amèrement :
« Oui, dit mon mari, alors tu es tombée sur ta figure ?
Tu vas tomber sur le dos quand tu arriveras à l'âge.
C'est-y vrai, petite Jule ? » Ça s'arrête et « Oui », j'te dis.

JULIETTE

Mais arrête aussi, Nourrice, je te dis [6].

LA NOURRICE

Paix, j'ai fini. Que Dieu te marque de sa grâce.
Tu étais le plus beau bébé que j'aie nourri
Et si je vis assez vieille pour te voir un jour mariée
Tous mes vœux seront accomplis.

DAME CAPULET

Mais par Marie, c'est justement de la « marier »
Que nous allons parler. Dites, ma fille Juliette,
Comment vous sentez-vous disposée à l'égard du
mariage ?

JULIETTE

C'est un honneur que je ne rêve point encore.

LA NOURRICE

Un honneur ! si je n'étais pas ta seule nourrice
Je dirais que la sagesse, tu l'as sucée au téton.

DAME CAPULET

Eh bien le temps vient d'y penser ; de plus jeunes que
vous
Dans Vérone dames de réputation
Sont déjà mères. Si je fais le calcul
J'étais votre mère à peu près vers cet âge
Où vous êtes encor jeune fille. Allons donc au but :
Le vaillant Paris vous recherche pour femme.

LA NOURRICE

Un homme, jeune dame, un tel homme, ah Madame !
Que dans le monde entier – enfin, beau comme le
marbre !

DAME CAPULET

Tout l'été de Vérone n'a pas plus belle fleur.

LA NOURRICE

Ah oui c'est une fleur, ma foi c'est une vraie fleur.

DAME CAPULET

Qu'en dites-vous ? pouvez-vous aimer ce gentilhomme ?
Ce soir vous le verrez à notre fête :
Ouvrez le livre du visage de Paris
Trouvez les charmes inscrits en lui par la plume de la beauté ;
Examinez ses lignes qui se marient si bien
Voyez comment l'une par l'autre elles sont satisfaites ;
Et ce qui demeurera obscur en ce beau volume
Trouvez-le donc écrit dans la marge de ses yeux.
Ce précieux livre d'amour, cet amant non recouvert
Pour s'embellir n'a besoin que d'une jolie couverture.
Le poisson se meut dans la mer ; et c'est le comble de la splendeur
Quand le bel en dehors cache un bel intérieur ;
Tel livre aux yeux de beaucoup reçoit la gloire
Qui par ses fermoirs d'or étreint une histoire d'or.
Ainsi vous allez partager tout ce qu'il possède
Et l'ayant, sans vous diminuer vous-même en rien.

LA NOURRICE

Diminuer, que non, augmenter ! Les femmes grossissent par les hommes.

DAME CAPULET

Parlons bref, approuvez-vous l'amour de Paris ?

JULIETTE

Je verrai à l'approuver, si voir me porte à approuver ;
Mais je ne lancerai point mon regard plus loin
Que votre consentement ne lui en donnera force.

Entre un serviteur.

LE SERVITEUR

Madame, les invités sont là, souper servi, vous appelée, ma jeune maîtresse réclamée, la Nourrice maudite à l'office, enfin tout poussé à l'extrémité ! Je dois aller servir, je vous en prie suivez-moi.

DAME CAPULET

Nous te suivons. – Juliette, le comte attend.

LA NOURRICE

Va fille ! chercher d'heureuses nuits pour tes heureux jours.

Elles sortent.

Scène 4

Une rue.

Entrent ROMÉO, MERCUTIO, BENVOLIO *avec cinq ou six autres masques et des porteurs de torches.*

ROMÉO

Eh bien, dirons-nous ce petit discours pour notre excuse
Ou entrerons-nous sans autre apologie ?

BENVOLIO

Le temps est passé de tout ce bavardage.
Nous n'aurons pas de Cupidon sous le capuchon d'une écharpe
Portant l'arc tartare en bois peint
Faisant peur aux dames comme un chasse-corbeau [7],
Ni prologue de mémoire ânonné grâce au souffleur
Pour notre entrée ;
Mais laissons-les nous mesurer comme il leur plaît,
Puis nous leur mesurerons une mesure et nous partirons.

ROMÉO

Donnez une torche. Je ne marche pas l'amble ;
N'étant que sombre et lourd
Je porterai la lumière légère.

MERCUTIO

Non, gentil Roméo, il nous faut votre danse.

ROMÉO

Non, croyez-moi ; vous avez des souliers de danse
Aux semelles légères,
Moi j'ai l'âme de plomb qui m'attache à la terre,
Je ne saurais bouger.

MERCUTIO

Vous êtes un amoureux ; empruntez l'aile
De Cupidon et hors de tous les liens envolez-vous.

ROMÉO

Je suis trop lourdement [8] transpercé par sa flèche
Pour m'envoler sur ses plumes légères ; tant dans les liens
Qu'aucun essor ne peut me délivrer de ma douleur :
Et sous l'énorme poids de l'amour je succombe.

MERCUTIO

Mais pour succomber en lui vous devriez
Faire poids sur l'amour ;
C'est trop grande oppression pour une tendre chose.

ROMÉO

L'amour tendre chose ? Trop dure, trop brutale,
Trop impétueuse, qui perce comme un dard.

MERCUTIO

Si l'amour est brute avec vous, soyez brute avec l'amour.
Percez l'amour s'il vous perce
Et vous mettrez dedans l'amour.
Donnez-moi donc une boîte et j'y placerai mon visage :
Un masque pour un masque. Ai-je souci
Qu'un œil curieux remarque les difformités ?
Voici deux gros sourcils qui rougiront pour moi.

BENVOLIO

Allons, frappons, entrons, et aussitôt dedans
Que chaque homme s'en remette à ses deux jambes.

ROMÉO

Une torche pour moi. Badins au cœur léger
Chatouillez avec vos talons le sol jonché,

Moi le dicton des vieux me met en proverbe :
Je serai porteur de chandelle et regarderai.
Jamais le jeu ne fut plus beau, et mon jeu si sombre.

MERCUTIO

Bah, la souris est sombre, dit le constable [9],
Et si tu sombres, nous te tirerons du bourbier
De – sauf révérence – l'amour
Où tu es jusqu'aux oreilles.
Mais viens, nous brûlons ici la lumière du jour.

ROMÉO

Ceci n'est pas vrai.

MERCUTIO

Par là, Monsieur, j'ai voulu dire
Que dans l'attente nous gaspillons nos lumières
Comme une lanterne allumée en plein jour.
Saisissez la bonne intention, car notre jugement y réside
Cinq fois plus que dans chacun de nos cinq sens.

ROMÉO

Et nous avons bonne intention, allant à cette mascarade,
Mais y aller manque de sens.

MERCUTIO

Pourquoi, puis-je le demander ?

ROMÉO

J'ai fait un rêve cette nuit.

MERCUTIO

Et moi aussi.

ROMÉO

Bien, quel était le vôtre ?

MERCUTIO

C'était que ceux qui rêvent
Sont souvent mis dedans.

ROMÉO

Dedans le lit
Où ils dorment en rêvant des rêves vrais.

MERCUTIO

Alors je vois que la Reine Mab vous a visité.
C'est l'accoucheuse des fées et elle vient
Pas plus grosse qu'une pierre d'agate à l'index d'un échevin,
Traînée par un attelage de petits atomes,
Se poser sur le nez des hommes quand ils dorment.
Son char est une noisette vide
Confectionnée par un écureuil menuisier
Ou par le vieux ciron
De temps immémorial le carrossier des fées.
Les rayons des roues de son carrosse
Sont faits de longues pattes de faucheux ;
La capote, avec des ailes de sauterelles ;
Les harnais, de la plus fine toile d'araignée,
Et le collier, de rayons humides de clair de lune ;
Son fouet d'un os de grillon, la mèche d'un fil de la Vierge ;
Son cocher, un petit moucheron gris-vêtu
Pas plus gros que la moitié du petit ver rond
Que l'on tire du doigt paresseux d'une servante ;
En cet atour nuit après nuit elle galope
Dans les cerveaux des amoureux
Et alors ils rêvent d'amour ;
Sur les genoux des courtisans
Qui vivement rêvent de courbettes ;
Sur les doigts des hommes de loi
Qui aussitôt rêvent d'honoraires ;
Et sur les lèvres des dames
Qui à l'instant rêvent de baisers,
Ces lèvres que Mab furieuse couvre d'ampoules
Car leur haleine par les douceurs est empestée ;
Parfois elle galope au nez d'un courtisan
Et lui de rêver qu'il flaire un beau placet ;

Parfois avec la queue d'un cochon de la dîme
Elle chatouille le nez d'un ecclésiastique
Et lui reçoit en rêve un nouveau bénéfice ;
Parfois elle roule sur le cou d'un soldat,
Il rêve alors qu'il coupe des gorges étrangères,
Voit des brèches, des embuscados, des lames espagnoles,
Boit des rasades profondes de cinq brasses,
Le tambour bat à son oreille, il tressaille, il se réveille
Et ainsi effrayé jure une prière ou deux
Et se rendort. C'est toujours cette Mab
Qui tresse la crinière des chevaux la nuit
Et dans leurs poils gluants fabrique des nœuds
magiques
Qui débrouillés font arriver de grands malheurs.
C'est la sorcière, quand les filles sont sur le dos,
Qui les presse et leur apprend à l'endurer la première
fois,
Faisant d'elles des femmes de bonne charge !
C'est encore elle –

ROMÉO

Ah paix, Mercutio, paix !
Vous parlez de riens.

MERCUTIO

Il est vrai, c'est de rêves
Qui sont les enfants des cervelles paresseuses,
Enfants de vaine fantaisie
Et aussi fins de substance que l'air
Et plus inconstants que le vent qui caresse
En ce moment le sein glacé du nord
Et s'étant irrité souffle bien loin de là
Jusque vers le sud couvert de rosée.

BENVOLIO

Ce vent dont vous parlez
Nous porte loin de nous-mêmes ;
Le souper est fini
Nous arriverons trop tard.

ROMÉO

Bien trop tôt, je le crains ; mon esprit appréhende
Une conséquence encore dans les étoiles
Et qui cruellement va commencer son cours
Avec cette fête nocturne, et mettra fin
À la méprisable vie que je porte en ma poitrine
Par quelque vil arrêt de mort prématurée.
Mais que Celui qui tient le gouvernail de mon voyage
Dirige aussi la voile ! Allons, joyeux seigneurs.

BENVOLIO

Battez, tambours.

Ils sortent.

Scène 5

Une salle dans la maison de Capulet.
Des musiciens attendent. Entrent les masques qui font le tour de la salle et se rangent de côté.
Des serviteurs s'avancent, portant du linge.

PREMIER SERVITEUR

Et où est Potasoupe, qu'il n'aide pas à desservir ? Lui, porter un tranchoir ! Lui, racler un tranchoir !

DEUXIÈME SERVITEUR

Quand toutes les bonnes manières sont dans les mains d'un ou deux hommes, et quand avec ça ces mains-là ne sont pas lavées, alors c'est une sale affaire.

PREMIER SERVITEUR

Et enlevez-moi ces tabourets ! Déplacez le buffet, en veillant sur l'argenterie, pas ? Et toi mon vieux, mets-moi de côté un morceau de massepain. Et si tu m'aimes, dis au portier de laisser entrer Suzanne Mangetout. Antoine ! Potasoupe !

TROISIÈME SERVITEUR

Oui, garçon, voilà !

PREMIER SERVITEUR

On vous cherche, on vous appelle, on vous demande, on vous réclame dans la grande salle !

QUATRIÈME SERVITEUR

On peut pourtant pas être partout ! Et allons, les garçons ! Vivement pour une fois. Et celui qui vivra le plus longtemps il emportera tout !

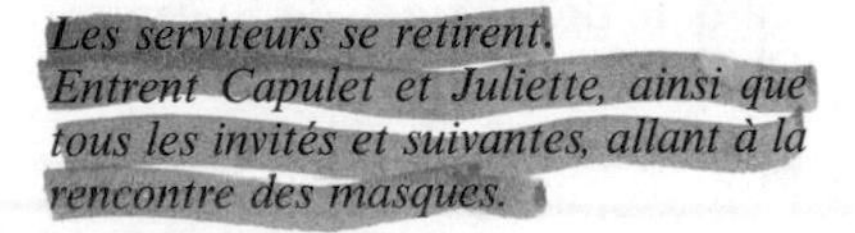
Les serviteurs se retirent.
Entrent Capulet et Juliette, ainsi que tous les invités et suivantes, allant à la rencontre des masques.

CAPULET

La bienvenue, Messieurs ! Les dames dont les orteils
Ne sont pas martyrisés par les cors
Vont faire avec vous un petit tour de danse.
Ah ah ! mes maîtresses, laquelle de vous toutes
Va maintenant refuser de danser ?
Celle qui fera la délicate, je le jurerais
Elle a des cors, Messieurs, elle a des cors !
N'ai-je pas touché juste ? – La bienvenue, Messieurs !
Et moi j'ai vu le jour où je portais un masque
Où je pouvais dire
Une chuchotante histoire à l'oreille des dames,
De celles qui plaisent bien ! C'est fini, c'est fini. –
La bienvenue, Messieurs ! – Hé musiciens, jouez !
Place, place, faites place dans la salle
Et fillettes, dansez !

Les musiciens jouent, et on danse.

Donnez plus de lumière ! Et enlevez les tables
Et éteignez le feu car il commence à faire trop chaud. –
Ah, bondieu, ce divertissement inattendu vient à propos. –
Mais non, asseyez-vous, asseyez-vous mon bon cousin

Capulet, car vous et moi nous les avons vécus nos jours de danse :
Combien y a-t-il de temps depuis que vous et moi nous étions sous des masques pour la dernière fois ?

DEUXIÈME CAPULET

Par Notre-Dame, trente ans.

CAPULET

Comment, bon ami, trente ans ! Pas si longtemps, pas si longtemps !
Ça date du mariage de Lucentio.
Que la Pentecôte vienne aussi vite qu'elle le voudra, ça fait quelque vingt-cinq ans.
Et nous portions des masques !

DEUXIÈME CAPULET

Plus que ça, plus que ça.
Son fils est plus âgé que ça, Monsieur. Son fils a trente ans.

CAPULET

Qu'est-ce que vous me racontez ?
Son fils était encore mineur il y a deux ans.

ROMÉO

Qui est cette dame enrichissant le bras
De ce cavalier ?

UN SERVITEUR

Je ne sais pas, Monsieur.

ROMÉO, *bas.*

Oh elle enseigne aux torches à briller splendidement !
On dirait qu'elle pend à la joue de la nuit
Comme un riche joyau à l'oreille d'un Éthiopien ;
Beauté trop riche pour qu'on en use et trop chère pour la terre !
Comme une colombe de neige en troupe avec des corneilles
Ainsi paraît cette dame au milieu de ses compagnes.

La danse finie, je vais voir où elle est ;
Ma rude main sera bénie touchant la sienne.
Mon cœur jusqu'à présent a-t-il aimé ?
Jurez que non, mes yeux,
Car jamais avant cette nuit je n'avais vu la vraie beauté.

TYBALT

Celui-ci d'après sa voix doit être un Montaigue.
Ma rapière, garçon ! Comment, cet esclave ose
Venir ici couvert d'une grotesque face
Pour railler, insulter notre solennité ?
Par l'origine et l'honneur de ma race,
Le frapper à mort, je ne tiens pas cela pour un péché.

CAPULET

Voyons, qu'est-ce qu'il y a, mon neveu,
Pourquoi tempêtez-vous comme ça ?

TYBALT

Oncle, celui-là est un Montaigue notre ennemi :
Le misérable vient ici pour nous narguer
Se moquer de notre solennité de ce soir.

CAPULET

N'est-ce pas le jeune Roméo ?

TYBALT

C'est lui, l'infâme Roméo.

CAPULET

Calmez-vous, gentil cousin, laissez-le tranquille,
Il se conduit comme un gentilhomme parfait ;
Et à dire le vrai, Vérone est fière de lui
Comme d'un vertueux jeune homme et bien élevé.
Je ne voudrais pas pour toutes les richesses de la ville
Qu'il lui fût fait offense en ma maison.
Soyez donc patient, n'y faites pas attention,
Telle est ma volonté ; si vous la respectez
Montrez belle mine et laissez ces airs menaçants,
Un aspect qui convient mal à notre fête.

TYBALT

Cela convient, quand un tel vilain est parmi les hôtes.
Je ne le supporterai pas.

CAPULET

Cela sera supporté.
Quoi, petit jeune homme ! Je le dis, moi. Allez.
Suis-je maître céans, ou vous ? C'est bon, allez.
Vous ne le supporterez pas ! Dieu sauve mon âme,
Vous allez faire l'émeute parmi mes invités !
Vous allez lâcher la bonde ! Jouer au maître !

TYBALT

Voyons, mon oncle, c'est une honte.

CAPULET

Allez ! Assez !
Vous êtes un insolent garçon, n'est-il pas vrai ?
Cette histoire a bien des chances de vous nuire.
Je sais, vous avez besoin de me contrarier, c'est pardieu le moment ! –
Bien dit, mes cœurs ! – Vous êtes un freluquet.
Et tenez-vous tranquille, ou – Plus de lumière ! –
Du diable ! Je vous ferai bien rester tranquille. –
Allons, gaiement mes cœurs !

TYBALT

La patience imposée, l'impérieuse colère
En se rencontrant dans mon cœur
Font trembler ma chair de leurs saluts contraires.
Je me retire, mais cette intrusion
Qui paraît douce encor deviendra fiel amer.

Il sort.

ROMÉO, *à Juliette.*

Si je profane avec ma main qui n'est point digne
Cette châsse bénie, c'est peine bien bénigne ;
Mes lèvres ces rougissants pèlerins vont effacer
Le trop rude toucher par un tendre baiser.

JULIETTE

Bon pèlerin [10], vous faites injustice à votre main
Car elle a montré dévotion courtoise ;
Les saintes ont des mains qui touchent les pèlerins,
Paume sur paume, c'est le pieux baiser des pèlerins.

ROMÉO

N'ont-elles pas des lèvres les saintes,
N'en ont-ils pas les pieux pèlerins ?

JULIETTE

Oui des lèvres, pèlerin,
Dont elles usent pour la prière.

ROMÉO

Alors ô chère sainte
Laisse les lèvres faire ce que font les mains ;
Elles prient, exauce-les, de crainte
Que leur foi ne tourne en profond chagrin.

JULIETTE

Les saintes sont immobiles
Même en exauçant les prières.

ROMÉO

Alors sois immobile
Tandis que je prendrai le fruit de mes prières.
Ainsi le péché de mes lèvres
Par tes lèvres est effacé.

Il l'embrasse [11].

JULIETTE

Et mes lèvres ainsi ont reçu le péché.

ROMÉO

Le péché de mes lèvres ?
Ô faute doucement reprochée au pécheur.
Rends-moi donc mon péché.

Il l'embrasse de nouveau.

JULIETTE

Vous embrassez selon les plus belles manières.

LA NOURRICE

Madame, votre mère voudrait bien vous parler.

ROMÉO

Qui est sa mère ?

LA NOURRICE

Par Marie, mon jeune homme,
Sa mère est la maîtresse de la maison
Et une digne dame et sage et vertueuse ;
Moi j'ai nourri sa fille, que vous lui parliez,
Et je vous dis : celui qui s'en va l'épouser
Il aura les écus aussi.

ROMÉO

C'est une Capulet ?
Douloureuse créance,
Ma vie devient mon dû envers mon ennemi.

BENVOLIO

Hé nous partons ? Le jeu est à son comble.

ROMÉO

J'en ai peur ; le surplus est déjà mon malheur.

CAPULET

Non, Messieurs, vous ne songez pas à partir,
Nous avons encore devant nous un méchant petit souper. –
C'est ainsi, vous partez ? Alors je vous remercie tous.
Je vous remercie, mes honnêtes seigneurs.
Et bonne nuit. – Des torches, des torches par ici ! –
Nous, allons nous coucher. Bondieu ! il se fait tard.
Je vais dormir.

Tous sortent, sauf Juliette et la Nourrice.

JULIETTE

Nourrice, viens ici. Quel est ce gentilhomme ?

LA NOURRICE

Le fils et héritier du vieux Tiberio.

JULIETTE

Quel est celui-là qui maintenant passe la porte ?

LA NOURRICE

Par la sainte Vierge, je crois bien que celui-là, c'est le jeune Petruchio.

JULIETTE

Et celui qui le suit
Et qui n'a pas voulu danser ?

LA NOURRICE

Ça, je ne sais pas.

JULIETTE

Va, demandc son nom. – S'il est marié
Mon tombeau, je le crains, sera mon lit de noces.

LA NOURRICE

Son nom est Roméo, c'est un Montaigue
C'est le fils unique de votre grand ennemi.

JULIETTE, *bas.*

Ô mon unique amour né de ma seule haine !
Inconnu vu trop tôt, et reconnu trop tard !
Monstrueuse est pour moi la naissance d'amour,
Que je doive aimer mon ennemi détesté !

LA NOURRICE

Quoi, hé quoi ?

JULIETTE

C'est un vers, qu'un de mes danseurs m'a récité.

On appelle de l'intérieur : « Juliette ! »

LA NOURRICE

On y va, on y va. Venez, rentrons. Tous les invités sont partis.

Elles sortent.

ACTE II

Prologue

Entre LE CHŒUR.

L'ancien Désir est couché sur son lit de mort
L'Amour nouvelle est bouche bée pour hériter ;
Et la beauté pour qui l'amour voulait mourir,
Comparée à Juliette elle n'est plus beauté.

Maintenant Roméo aimé aime à son tour,
Tous deux sont enchantés par le charme des yeux,
Mais lui pâtit de son ennemie supposée,
Elle au dur hameçon saisit l'appât d'amour.

Son ennemi, il n'a point accès auprès d'elle
Pour soupirer les vœux que l'amour doit jurer ;
Elle aussi amoureuse, elle peut moins encore
Rencontrer son nouvel amant où il lui plaît ;

Mais Amour les soutient, le temps les fait se joindre,
Tempérant de douceurs telles extrémités.

Il sort.

Scène I

Un chemin près du mur du jardin de Capulet.
Entre ROMÉO, *seul.*

ROMÉO

Pourrais-je aller plus loin quand mon cœur est ici ?
Lourde argile
Reviens donc en arrière et retrouve ton centre.

Il escalade le mur et disparaît
à l'intérieur du jardin.
Entrent Benvolio et Mercutio.

BENVOLIO

Roméo, mon cousin Roméo !

MERCUTIO

Il est sage,
Sur ma vie, il s'en est allé dans son lit.

BENVOLIO

Il a couru, il a escaladé le mur du jardin.
Appelle-le, bon Mercutio.

MERCUTIO

Je le conjurerai.
Roméo ! caprice ! passion ! amoureux ! fou !
Apparais sous l'aspect d'un souffle,
Prononce à peine une rime et je serai satisfait ;
Crie « hélas », ne dis qu'« amours » avec « toujours » ;
Raconte à Vénus ma commère un beau mot,
Un surnom pour son aveugle fils et héritier,
Le rôdeur Cupidon [12] qui a si bien tiré
Quand le Roi Cophetua aima la fille mendiante !
Il n'entend pas, ne remue pas, ne bouge pas.
Ce drôle est mort, je dois le conjurer.
Je te conjure par les yeux brillants de Rosaline,
Par son front haut, sa lèvre purpurine,
Par son pied fin et par sa droite jambe,

Sa cuisse frémissante et tous les beaux domaines
adjacents,
Apparais à nous sous ton propre aspect !

BENVOLIO

S'il t'a entendu, tu vas l'irriter.

MERCUTIO

Ça ne peut l'irriter ; ce qui l'irriterait
Ce serait, dans le cercle de sa maîtresse, évoquer
Un esprit d'étrange nature, et le faire brandir
Jusqu'à ce qu'elle l'eût couché bas exorcisé,
Ce qui l'offenserait. Mais mon évocation
Est bonne, honnête, et par le nom de sa maîtresse
C'est lui seul que je conjure d'apparaître.

BENVOLIO

Viens, il a dû se dérober parmi ces arbres
Pour être uni avec les humeurs de la nuit.
Aveugle est son amour, la noirceur lui convient.

MERCUTIO

Si l'amour est aveugle, l'amour manque le but.
Tiens, il doit être assis sous un néflier,
Il désire que sa maîtresse
Soit cette espèce de fruit
Que les servantes nomment la nèfle
Quand elles plaisantent entre elles.
Ô Roméo si elle l'était, Roméo si elle l'était,
Nèfle ouverte et coetera, et toi une poire pointue !
Allons, bonne nuit Roméo,
Je vais dans mon lit à roulettes ;
Ce lit-de-champ est un peu froid pour y dormir.
Viens, nous partons ?

BENVOLIO

Partons, car il est vain
De rechercher qui ne veut pas être trouvé.

Ils sortent.

Scène 2

Le jardin de Capulet.
Entre ROMÉO.

ROMÉO
Il rit des plaies, celui qui n'a jamais été blessé !

Juliette paraît à une fenêtre.

Mais silence ! quelle lumière éclate à la fenêtre ?
C'est l'orient et Juliette est le soleil !
Lève-toi clair soleil, et tue l'envieuse lune
Déjà malade et pâle de chagrin
De voir que sa servante est bien plus belle qu'elle.
Ne sois pas sa servante puisqu'elle est envieuse,
Sa robe de vestale n'est que malade et verte,
Nul ne la porte que les folles, rejette-la.
Voici ma Dame ! oh elle est mon amour !
Oh si elle savait qu'elle l'est !
Elle parle et pourtant ne dit rien, mais qu'importe,
Ses yeux font un discours et je veux leur répondre.
Je suis trop hardi, ce n'est pas à moi qu'elle parle :
Deux des plus belles étoiles dans tout le ciel,
Ayant quelque affaire, ont supplié ses yeux
De briller dans leurs sphères
Jusqu'à ce qu'elles reviennent.
Que serait-ce si ses yeux étaient là-haut
Et les étoiles dans sa tête ?
Car l'éclat de sa joue ferait honte aux étoiles
Comme le jour à une lampe, tandis que ses yeux au ciel
Répandraient à travers la région aérienne un si grand éclat
Que les oiseaux chanteraient croyant la nuit terminée.
Voyez, comme elle pose sur sa main sa joue !
Oh si j'étais le gant sur cette main
Que je puisse toucher cette joue !

JULIETTE

Ah !

ROMÉO, *bas.*

Elle a parlé :
Oh parle encor, lumineux ange ! Car tu es
Aussi glorieuse à cette nuit, te tenant par-dessus ma tête,
Que pourrait l'être un messager ailé du ciel
Aux yeux retournés blancs d'émerveillement
Des mortels, qui se renversent pour le voir,
Quand il enjambe les nuages paresseux,
Quand il glisse sur la poitrine de l'air.

JULIETTE

Ô Roméo, Roméo ! Pourquoi es-tu Roméo ?
Renie ton père, refuse ton nom ;
Ou si tu ne le fais, sois mon amour juré
Et moi je ne serai plus une Capulet.

ROMÉO, *bas.*

L'écouterai-je encore
Ou vais-je lui parler ?

JULIETTE

C'est seulement ton nom qui est mon ennemi.
Tu es toi-même, tu n'es pas un Montaigue.
Qu'est-ce un Montaigue ? Ce n'est ni pied ni main
Ni bras ni visage, ni aucune partie
Du corps d'un homme. Oh sois un autre nom !
Qu'y a-t-il en un nom ? Ce que nous nommons rose
Sous un tout autre nom sentirait aussi bon ;
Et ainsi Roméo, s'il ne s'appelait pas
Roméo, garderait cette chère perfection
Qu'il possède sans titre. Oh retire ton nom,
Et pour ton nom qui n'est aucune partie de toi
Prends-moi tout entière !

ROMÉO

Je te prends au mot :
Ne m'appelle plus qu'amour et je serai rebaptisé ;

Dorénavant je ne serai plus jamais Roméo,

JULIETTE

Quel homme es-tu, toi caché par la nuit
Qui trébuches dans mon secret ?

ROMÉO

Par aucun nom
Je ne sais comment te dire qui je suis.
Mon nom ô chère sainte est en haine à moi-même
Puisqu'il est ton ennemi.
Et si je l'avais écrit j'aurais déchiré le mot.

JULIETTE

Mes oreilles n'ont pas bu cent paroles encore
De cette bouche, mais j'en reconnais le son :
N'es-tu pas Roméo ? n'es-tu pas un Montaigue ?

ROMÉO

Ni l'un ni l'autre, ô belle jeune fille,
S'ils te déplaisent l'un et l'autre.

JULIETTE

Comment es-tu venu, dis-moi, et pourquoi ?
Les murs du jardin sont hauts, durs à franchir,
Et ce lieu est la mort, vu celui que tu es,
Si l'un de mes parents ici te voit.

ROMÉO

Sur les ailes légères d'amour j'ai passé ces murs
Car les limites de pierre ne retiennent pas l'amour.
Ce que peut faire amour, amour ose le tenter.
Ainsi tes parents ne pourraient m'arrêter.

JULIETTE

S'ils te voient, ils te tueront.

ROMÉO

Hélas il est dans tes yeux plus de péril
Que dans vingt de leurs épées ;
Regarde seulement avec douceur

Et je suis à l'abri de leur inimitié.

JULIETTE

Pour le monde entier
Je ne voudrais pas qu'ils te voient !

ROMÉO

J'ai le manteau de la nuit
Pour me dérober à leurs yeux.
Et à moins que tu ne m'aimes, qu'ils me voient !
Mieux vaudrait ma vie terminée par leur haine
Qu'attendant ton amour, ma mort retardée.

JULIETTE

Mais guidé par qui as-tu trouvé ce lieu ?

ROMÉO

Par l'amour, qui m'a conduit à demander ;
Il me donna conseil, je lui donnai mes yeux.
Je ne suis pas pilote, et pourtant serais-tu
Aussi loin que la côte aride de la mer la plus lointaine,
Je me serais aventuré pour une si belle marchandise.

JULIETTE

Tu sais, le masque de la nuit couvre mon visage,
Sinon une rougeur de vierge
Aurait coloré mes joues
Pour ce que tu m'as entendu dire cette nuit.
Ah si je pouvais demeurer dans les bons usages,
Si je pouvais, si je pouvais
Effacer tout ce que j'ai dit.
Mais non, adieu adieu cérémonie !
M'aimes-tu ? Je sais que tu répondras « oui »,
Je croirai ta parole, et pourtant si tu jures
Tu peux te montrer faux, des parjures d'amants
On dit que Jupiter sourit. Doux Roméo
Si tu aimes, proclame-le sincèrement ;
Ou si tu penses que trop vite je suis conquise
Je serai sévère et méchante, je dirai non
Pour que tu me fasses ta cour ;

Mais autrement, pour rien au monde !
En vérité, ô beau Montaigue, j'ai trop d'amour,
C'est pourquoi tu peux penser ma conduite bien légère ;
Mais crois-moi, noble jeune homme,
Je me montrerai plus fidèle
Que celles qui ont plus d'adresse à demeurer réservées.
Je l'avoue, je devais être plus réservée ;
Mais voici que tu as surpris, avant que je fusse
prévenue,
Ma vraie passion d'amour, aussi pardonne-moi
Et n'impute pas à la légèreté mon abandon
Que cette sombre nuit t'a révélé.

ROMÉO

Ô ma Dame, par la lune sacrée je jure,
Qui touche d'argent clair tous ces arbres fruitiers –

JULIETTE

Oh ne jure pas par la lune, l'inconstante lune
Qui change chaque mois en son orbite ronde,
De peur que ton amour ne se montre comme elle
changeant.

ROMÉO

Par quoi faut-il jurer ?

JULIETTE

Ne jure pas du tout
Ou jure si tu veux par ton gracieux Toi-même
Qui est le dieu de mon idolâtrie,
Je te croirai.

ROMÉO

Si le cher amour de mon cœur –

JULIETTE

Non, non, ne jure pas. Bien qu'en toi soit ma joie,
Le serment cette nuit ne me fait nulle joie ;
Il est trop prompt, trop irréfléchi, trop soudain
Trop pareil à l'éclair

Qui cesse d'être avant qu'on ait dit « il éclaire ».
Doux cœur, oh bonne nuit !
Au souffle mûrissant d'été ce bourgeon d'amour
Pourra se montrer fleur quand nous nous reverrons.
Qu'un aussi doux et calme repos vienne en ton cœur
Que ce doux et calme repos qui est dans mon sein.

ROMÉO

Oh vas-tu me laisser partir mal satisfait ?

JULIETTE

Quelle satisfaction peux-tu avoir cette nuit ?

ROMÉO

L'échange de ton vœu de fidèle amour et de mon vœu.

JULIETTE

Avant que tu l'aies demandé je te l'ai donné
Et je voudrais encore avoir à le donner.

ROMÉO

Tu voudrais le reprendre, oh pourquoi bien-aimée ?

JULIETTE

Pour être généreuse, et te le redonner !
J'aspire seulement à la chose que j'ai,
Ma bonté est aussi sans bornes que la mer,
Mon amour est aussi profond ;
Oui plus je donne plus je possède,
L'un et l'autre sont infinis.

La Nourrice appelle.

J'ai entendu du bruit ; mon cher amour, adieu ! –
Je viens, bonne Nourrice. – Doux Montaigue sois fidèle,
Demeure encore un peu, je reviendrai.

Elle sort.

ROMÉO

Oh nuit bénie, bénie ! J'ai peur car c'est la nuit

Que tout ne soit que rêve
Trop délicieusement flatteur pour être vrai.

Juliette reparaît à la fenêtre.

JULIETTE

Trois mots, cher Roméo, et bonne nuit cette fois !
Si ton penchant d'amour est honorable,
Si tu te proposes mariage, envoie demain
Un mot par la personne que je t'adresserai
Disant où et à quelle heure tu veux accomplir le rite,
Et toutes mes destinées je les déposerai à tes pieds,
Et te suivrai toi mon seigneur à travers le monde.

LA NOURRICE, *de l'intérieur.*

Madame !

JULIETTE

Je viens, je viens. – Mais si ta pensée n'est pas pure
Je te conjure –

LA NOURRICE, *de l'intérieur.*

Madame !

JULIETTE

Tout de suite, je viens… –
De cesser ta poursuite et de laisser mon cœur
À son chagrin. Demain j'envoie quelqu'un.

ROMÉO

Tant que vivra mon âme –

JULIETTE

Et mille fois bonne nuit !

Elle sort.

ROMÉO

Nuit mille fois assombrie de perdre ta lumière !
Amour court vers l'amour
Ainsi l'écolier fuyant loin de ses livres,
Amour quitte l'amour

Comme il va vers l'école avec un regard lourd.

Juliette reparaît à la fenêtre.

JULIETTE

Stt ! Stt ! Roméo ! Ô voix du fauconnier
T'avoir pour rappeler ce noble tiercelet !
La captivité est enrouée et ne peut parler haut
Sinon je forcerais la grotte où dort Écho
Et sa voix aérienne
Je la rendrais plus enrouée encor que la mienne,
À répéter le nom de mon Roméo.

ROMÉO

C'est mon âme qui m'appelle par mon nom.
Quel doux son d'argent dans la nuit fait la langue des amants
Comme la musique la plus belle que l'oreille puisse écouter !

JULIETTE

Roméo !

ROMÉO

Petit faucon [13] ?

JULIETTE

À quelle heure demain
T'envoyer le messager ?

ROMÉO

À la neuvième heure.

JULIETTE

Je n'y manquerai pas. Ce me semble vingt ans
Jusque-là. J'ai oublié pourquoi je te rappelais.

ROMÉO

Laisse-moi demeurer ici
Jusqu'à ce que tu t'en souviennes.

JULIETTE

Je l'oublierai, c'est pour t'avoir ici toujours,
Me souvenant que j'aime tant ta compagnie.

ROMÉO

Et moi je resterai, afin que toujours tu l'oublies,
Moi-même oubliant toute autre demeure que celle-ci.

JULIETTE

C'est bientôt l'aube ; je voudrais que tu fusses loin
Mais pas plus loin
Que l'oiseau tenu par un fripon d'enfant ;
Il le fait sautiller un peu hors de sa main,
Le pauvre prisonnier dans ses liens enroulés,
Et le ramène à lui avec un fil de soie
Tant il est jaloux amoureux de sa liberté.

ROMÉO

Que ne suis-je ton oiseau.

JULIETTE

Mon doux cœur que ne l'es-tu.
Il est vrai que je te tuerais par trop de caresses.
Bonne nuit ! Séparation est un si doux chagrin
Que je vais dire bonne nuit jusqu'à demain.

Elle sort.

ROMÉO

Que le sommeil descende sur tes yeux, paix en ta poitrine.
Que ne suis-je sommeil et paix, pour si doucement reposer !
D'ici je vais à la cellule de mon père spirituel
Pour demander son secours et lui dire mon bonheur.

Il sort.

Scène 3

La cellule de Frère Laurent.
Entre FRÈRE LAURENT *seul, portant un panier.*

FRÈRE LAURENT

Le matin avec son œil gris sourit à la nuit sourcilleuse
Bariolant de rais lumineux les nuages à l'orient,
Et les ténèbres empourprées sont chancelantes comme l'ivrogne
Hors du sentier du jour tracé par les roues du Titan :
Mais avant que le soleil ait avancé son œil brûlant pour égayer le jour et sécher la moite rosée,
Je dois emplir notre panier d'osier
Avec les herbes pernicieuses et les fleurs au suc précieux.
La terre qui est la mère de la nature, c'est sa tombe
Et ce qui est son cercueil est aussi sa matrice profonde ;
Des enfants de toute espèce enfantés par sa matrice
Nous les voyons sucer à son sein maternel.
Beaucoup par beaucoup de vertus excellents,
Nul n'en étant privé, et tous bien différents.
Oh grande est la grâce puissante qui se tient
Dans les herbes, les plantes, les pierres et leurs réelles qualités ;
Car rien n'est si vil, existant sur la terre
Qui n'apporte à la terre [14] quelque spécial bienfait,
Rien n'est si bon qui détourné de l'usage vrai
Ne se révolte contre sa naissance et ne trouve l'abus ;
La vertu même mal employée devient un vice
Et parfois dans l'action le vice est racheté.
Sous l'écorce enfant de cette petite fleur
La médecine a sa puissance et le poison a sa demeure ;
Car étant aspirée, par cette seule partie elle donne à toutes parties réjouissance
Mais goûtée elle suspend le cœur et tous les sens.
Ainsi deux rois ennemis

Dans la plante et dans l'homme ont établi leur camp :
C'est la grâce et c'est la volonté rebelle,
Et là où le plus mauvais est prédominant
Aussitôt vient et ronge le ver de la mort.

Entre Roméo.

ROMÉO

Bonjour, mon père.

FRÈRE LAURENT

Benedicite !
Quelle voix douce me salue de si bonne heure ?
Jeune fils, cela montre une tête troublée
Dire adieu à son lit si matinalement.
Le souci dans l'œil de chaque vieillard monte la garde
Et là où loge le souci jamais ne couche le sommeil ;
Mais là où la jeunesse encor non meurtrie, au cerveau non rempli de choses,
Étend ses membres, là doit régner le sommeil d'or.
C'est pourquoi te voir si tôt m'assure
Que tu es réveillé par quelque inquiétude.
Ou si cela n'est pas, je touche cette fois juste,
Notre Roméo ne s'est pas couché cette nuit.

ROMÉO

C'est vrai. Mais mon repos n'en était que plus doux.

FRÈRE LAURENT

Dieu pardonne le péché ! étais-tu avec Rosaline ?

ROMÉO

Avec Rosaline, ô mon saint père ? Non.
J'ai oublié ce nom et les peines de ce nom.

FRÈRE LAURENT

Voilà bien mon bon fils ! Où étais-tu alors ?

ROMÉO

Avant que vous le redemandiez je vous le dirai.
Cette nuit j'ai festoyé chez mon ennemi

Et soudain quelqu'un m'a blessé
Qui par moi fut aussi blessé ; le remède pour nous deux
Dépend de vous et de votre médecine sacrée ;
Je n'ai plus de haine, ô saint homme, car voici,
Mon intercession près de vous sert aussi mon ennemi.

FRÈRE LAURENT

Sois clair ô mon bon fils, et simple en ton récit ;
Une confession qui se dissimule
Ne reçoit qu'un semblant d'absolution.

ROMÉO

Alors sachez clairement que le cher amour de mon cœur
S'est porté sur la fille du riche Capulet ;
Et comme le mien est sur elle, le sien est aussi sur moi.
Et tout est conclu, sauf ce que vous pouvez conclure
Par le saint mariage. Où et quand et comment
Nous nous sommes rencontrés, nous nous sommes connus
Et nous avons échangé nos serments,
Je vous le raconterai chemin faisant, mais je vous prie,
Consentez à nous marier aujourd'hui.

FRÈRE LAURENT

Grand saint François ! quel changement est-ce là !
Et Rosaline que si tendrement tu aimas,
Si vite abandonnée ? L'amour des jeunes gens en vérité
N'est pas dans leur cœur mais plutôt dans leurs yeux.
Jésus Maria, quelle saumure de larmes
A lavé tes joues blêmies pour Rosaline !
Ah oui, combien d'eau salée versée en vain
Pour assaisonner l'amour qui n'en garde point le goût !
Le soleil n'a pas nettoyé le ciel de tes soupirs,
Tes anciens gémissements retentissent encore à mes vieilles oreilles ;
Mais regarde, sur ta joue on voit la tache encore
D'une vieille larme qui n'est point lavée.

Si tu étais alors toi-même et si ces peines étaient les tiennes
Toi et ces peines, tout était pour Rosaline.
Et te voilà changé ? Prononce la sentence :
Les femmes peuvent tomber, si les hommes n'ont point de force.

ROMÉO

Mais vous m'avez souvent blâmé d'aimer Rosaline.

FRÈRE LAURENT

D'extravaguer, non pas d'aimer, mon cher enfant.

ROMÉO

Vous m'avez ordonné d'enterrer cet amour.

FRÈRE LAURENT

Mais pas dans un tombeau
Où l'on couche un amour pour en sortir un autre.

ROMÉO

Je vous supplie ne me grondez pas : celle que j'aime
Me rend grâce pour grâce et amour pour amour ;
L'autre ne faisait pas ainsi.

FRÈRE LAURENT

Elle savait bien
Que ton amour au lieu d'épeler lisait par cœur.
Mais viens, jeune inconstant, allons, viens avec moi.
J'ai certaines raisons de te donner mon aide ;
Car cette alliance pourrait se montrer assez heureuse
Pour changer la haine de vos deux maisons en un pur amour.

ROMÉO

Oh partons, car il importe d'agir vite.

FRÈRE LAURENT

Sagement et doucement ; on tombe, allant trop vite.

Ils sortent.

Scène 4

Une rue.

Entrent BENVOLIO *et* MERCUTIO.

MERCUTIO

Où diable est-il ce Roméo ? Il n'est pas rentré chez lui cette nuit ?

BENVOLIO

Non, pas chez son père. J'ai parlé à son valet.

MERCUTIO

Ah cette même fille pâle au cœur dur, cette Rosaline
Le tourmente, au point qu'il va sûrement tomber fou.

BENVOLIO

Tybalt, le parent du vieux Capulet, lui a envoyé une lettre à la maison de son père.

MERCUTIO

C'est un défi, sur ma vie.

BENVOLIO

Roméo répondra.

MERCUTIO

Tout homme sachant écrire peut répondre à une lettre.

BENVOLIO

Non, il répondra à l'auteur de la lettre – comment il défie quand on le défie.

MERCUTIO

Hélas, pauvre Roméo, il est déjà mort. Poignardé par l'œil noir d'une blanche donzelle. Transpercé à l'oreille par un chant d'amour. Touché à la cible de son cœur par la flèche non barbelée de l'enfant aveugle. Est-ce un homme à affronter Tybalt ?

BENVOLIO

Qu'est-ce donc, ce Tybalt ?

MERCUTIO

Plus que Tybaut [15] le Prince des Chats, je vous l'assure. C'est le brillant maître des cérémonies. Il se bat comme vous chantez un air d'après les notes. Il garde la mesure, les intervalles, la proportion. Il vous donne une demi-pause et puis, un, deux, le troisième est dans votre poitrine. Un vrai massacreur de boutons de soie. Un duelliste, mon cher, un duelliste ! Un gentilhomme de la plus fine fleur de duel dans toutes les causes de premier ou de second ordre. Ah l'immortel passado ! Le punto reverso ! Le haï [16] !

BENVOLIO

Le quoi ?

MERCUTIO

La peste soit de ces grotesques zézayants qui posent à l'excentricité, de ces accordeurs du bon ton ! « Par Jésus, voilà une fine lame ! un homme du dernier vaillant ! une excellente putain ! » Allons, n'est-ce pas lamentable, mon digne seigneur, que nous soyons ainsi affligés de ces mouches étrangères, de ces gens à lancer des modes, de ces *pardonnez-moi*, qui sont si bien à cheval sur le nouveau dada qu'ils ne peuvent plus s'asseoir sur nos vieux bancs ? Oh leurs pauvres os !

Entre Roméo.

BENVOLIO

Voici Roméo, voici Roméo !

MERCUTIO

Roméo sans son frai, sec comme un hareng ! Ô chair, ô chair, comme te voilà poissonnifiée ! Maintenant il est emballé pour les rimes de Pétrarque : Laure, auprès de sa dame, n'est qu'une fille de cuisine (par la Vierge ! elle avait aussi un meilleur amant pour la mettre en poésie) ;

Didon, une dinde ; Cléopâtre, une bohémienne ; Hélène et Héro, des torchons et des putains ; Thisbé, un œil gris ou quelque chose comme ça, sans aucun intérêt. Signor Roméo, *bon jour.* Voilà un salut français pour vos culottes à la française. Vous nous avez passé une fausse pièce hier soir.

ROMÉO

Bonjour à tous deux. Et quelle fausse pièce vous ai-je donnée ?

MERCUTIO

La monnaie de singe, Monsieur. Est-ce que vous pouvez me comprendre ?

ROMÉO

Pardon, bon Mercutio, mais j'avais une affaire importante, et en pareil cas il est permis à un homme d'outrepasser la courtoisie.

MERCUTIO

Autant dire qu'en un cas comme le vôtre, un homme est contraint de tourner les fesses.

ROMÉO

Pour faire révérence courtoise, parfaitement.

MERCUTIO

Tu comprends la chose fort galamment.

ROMÉO

L'explication la plus courtoise.

MERCUTIO

Comment donc, je suis le vrai modèle de la courtoisie.

ROMÉO

Tu veux dire la fleur ?

MERCUTIO

Tout juste.

ROMÉO

Tiens, voilà mon escarpin fleuri [17].

MERCUTIO

Bien touché. Et poursuis-moi cette plaisanterie jusqu'à ce que tu aies usé ton escarpin : quand ton unique semelle aura rendu l'esprit, la plaisanterie restera seule, après usage, singulièrement spirituelle.

ROMÉO

Plaisanterie à une seule semelle ! Seulement singulière par sa singularité.

MERCUTIO

Intervenez, mon bon Benvolio, mon esprit faiblit.

BENVOLIO

Fouette et éperonne, fouette et éperonne ! ou je crie partie gagnée.

MERCUTIO

Évidemment si ton esprit part comme dans la course-à-l'oie sauvage [18], je suis fini, car tu as plus de l'oie sauvage dans un seul de tes esprits que moi dans tous mes sens réunis. Mais est-ce que je t'ai eu avec mon oie ?

ROMÉO

Je ne t'ai jamais eu dans ma compagnie que comme une oie.

MERCUTIO

Je te mordrai le bout de l'oreille pour cette plaisanterie.

ROMÉO

Non, « bonne oie, ne mords pas ».

MERCUTIO

Ton esprit est une vraie pomme aigre-douce ; c'est une sauce très piquante.

ROMÉO

Et n'est-ce pas bien servi autour d'une belle oie ?

MERCUTIO

Oh ça c'est l'esprit en peau de chevreau, qui s'allonge quand on le tire, et qui de la petitesse d'un pouce arrive à la grosseur d'une aune.

ROMÉO

Et je l'allonge encore un peu à cause de ton mot « grosseur », lequel, ajouté à l'oie, prouve que tu en es une, et de taille !

MERCUTIO

Allons, cela ne vaut-il pas mieux que les gémissements d'amour ? À présent te voilà sociable, à présent tu es Roméo. À présent tu es ce que tu es, par art aussi bien que par nature. Car cet amour pleurnicheur est comme un grand idiot qui court en tirant la langue, pour cacher son joujou dans un trou.

BENVOLIO

Arrête, arrête là.

MERCUTIO

Tu veux que je m'arrête dans mon histoire à rebrousse-poil ?

BENVOLIO

Oui, autrement la queue de ton histoire deviendrait trop longue.

MERCUTIO

Oh erreur, je l'aurais faite courte, car j'étais précisément arrivé dans la profondeur de mon histoire, aussi n'avais-je pas l'intention d'occuper l'objet plus longtemps.

Entrent la Nourrice et Peter.

ROMÉO

Un bâtiment en vue ! Une voile, une voile !

MERCUTIO

Deux, deux ; une veste et un jupon.

LA NOURRICE

Peter !

PETER

Voilà.

LA NOURRICE

Mon éventail, Peter.

MERCUTIO, *bas.*

Oui, bon Peter, pour cacher sa figure ; car le plus joli des deux, c'est son éventail.

LA NOURRICE

Dieu vous donne le bonjour, nobles seigneurs.

MERCUTIO

Dieu vous donne le bonsoir, belle noble dame.

LA NOURRICE

Est-ce donc le bonsoir ?

MERCUTIO

Pas moins, pas moins, je vous le dis ; car l'obscène doigt du cadran solaire est en ce moment sur le point de midi.

LA NOURRICE

Loin de moi, vous ! ah quel homme êtes-vous ?

ROMÉO

Un homme, noble dame, que Dieu a fait pour qu'il se gâtât lui-même.

LA NOURRICE

Ma foi c'est bien dit : « pour qu'il se gâtât lui-même ». Messieurs, l'un de vous peut-il me dire où je trouverai le jeune Roméo ?

ROMÉO

Moi je puis vous le dire ; mais le jeune Roméo sera plus vieux quand vous l'aurez trouvé qu'il n'était quand vous le cherchiez. Je suis le plus jeune de ce nom, à défaut d'un pire.

LA NOURRICE

Vous dites bien.

MERCUTIO

Le pire, est-ce donc le bien ? Voilà qui est pris avec sagesse, avec sagesse.

LA NOURRICE

Si vous êtes lui, Monsieur, je désire avoir avec vous une confidence.

BENVOLIO

Elle va l'inviter à souper.

MERCUTIO, *bas.*

Une maquerelle, une maquerelle ! Ho ho !

ROMÉO

Qu'est-ce que tu as trouvé, toi ?

MERCUTIO

Pas un poisson, Monsieur, à moins que ce ne soit une morue, Monsieur, dans un pâté de carême, quelque chose de vieux et de pourri avant qu'on ne s'en soit servi.

Il se promène devant eux et chante :

La vieille morue pourrie [19]
La vieille morue pourrie
C'est bon à manger en carême
Mais la vieille morue pourrie
C'est trop à manger pour dix
Pourrie sans avoir servi !

Hé Roméo, vous viendrez chez votre père ? Nous y dînons.

ROMÉO

Je vous suis.

MERCUTIO

Et adieu, ancienne dame, adieu,

il chante :

« madame, madame, madame ».

Mercutio et Benvolio sortent.

LA NOURRICE

Je vous demande, Monsieur, quel vaurien est celui-là, si plein de sa gueuserie ?

ROMÉO

Un gentilhomme, Nourrice, qui aime à s'entendre parler, et qui en dit plus en une minute qu'il n'en fera en un mois.

LA NOURRICE

S'il dit jamais une chose contre moi, je le démolirai ! serait-il plus robuste qu'il ne l'est, et même plus fort que vingt bougres ! Et si je n'y arrive pas, j'en trouverai bien qui sauront le faire. Sale voyou ! Je ne suis pas une de ses traînées, je ne suis pas une de ses garces[20] ! *(À Peter.)* Et toi tu es là, tu écoutes ça sans bouger. Tu supportes que n'importe quel voyou se serve de moi pour son bon plaisir ?

PETER

Je n'ai jamais vu un homme se servir de vous pour son plaisir ; et si je l'avais vu, mon épée aurait été vite dégainée, je vous le promets. Parce que je sais dégainer aussi vivement que n'importe qui, si je vois l'occasion d'une bonne querelle avec la loi de mon côté.

LA NOURRICE

Vrai, devant Dieu, je suis si en colère que chaque morceau de mon corps en tremble ! Sale voyou ! – Un mot, Monsieur, s'il vous plaît. Comme je vous l'ai dit, ma jeune dame m'a ordonné de venir vous trouver ; ce qu'elle m'a ordonné de vous dire, ça je le garderai pour moi. Mais laissez-moi vous dire d'abord que si vous voulez la mener dans le paradis des fous, comme on dit, ce serait une bien vilaine manière de se conduire, comme on dit ; car la noble demoiselle est jeune, et par conséquent, si vous y allez double jeu avec elle, vraiment ce serait une mauvaise chose à faire à une noble demoiselle, et une histoire pas belle !

ROMÉO

Nourrice, recommande-moi à ta maîtresse. Je jure auprès de toi –

LA NOURRICE

Bon cœur ! et ma foi, je lui dirai tout ça. Seigneur, Seigneur, comme elle va être une femme heureuse !

ROMÉO

Qu'est-ce que tu lui diras, Nourrice ? Tu ne m'écoutes pas.

LA NOURRICE

Je lui dirai, Monsieur, que vous avez juré ; ce qui, comme je le comprends, est une offre de gentilhomme.

ROMÉO

Dis-lui d'imaginer
Quelque façon d'aller cet après-midi à confesse ;
Et là dans la cellule de Frère Laurent, elle sera
Absoute et mariée. Voilà pour ta peine.

LA NOURRICE

Non, en vérité, Monsieur, pas un sou.

ROMÉO

Va, prends, je te dis qu'il le faut.

LA NOURRICE

Alors cet après-midi, Monsieur ? Elle y sera.

ROMÉO

Attends, bonne Nourrice, au mur de l'Abbaye.
Dans une heure tu rencontreras mon homme,
Il te remettra des cordes formant une échelle
Celle qui dans la secrète nuit me conduira
Jusqu'au plus haut du haut mât de ma joie.

Adieu, sois-moi fidèle et je récompenserai tes peines ;
Adieu, recommande-moi à ta maîtresse.

LA NOURRICE

Encore une fois, Dieu dans le ciel vous bénisse ! Écoutez, Monsieur.

ROMÉO

Que veux-tu dire, ma bonne Nourrice ?

LA NOURRICE

Votre homme est-il bien discret ? N'avez-vous pas entendu dire :
Deux hommes peuvent garder le secret, si on en a ôté un ?

ROMÉO

Je garantis mon homme aussi sûr que l'acier.

LA NOURRICE

Bien, Monsieur. Ma maîtresse est la plus douce des dames. – Seigneur, Seigneur ! quand c'était encore une petite chose babillante – oh il y a un noble personnage dans la ville, un certain Paris, qui ne demanderait pas mieux que d'aller à l'abordage [21]. Mais elle, la bonne âme, elle aimerait mieux regarder un crapaud, un vrai crapaud, que de le voir lui. Des fois je la mets en colère, je lui dis que ce Paris, c'est l'homme qu'il lui faut. Mais je vous le garantis, quand je dis ça, elle devient aussi pâle que n'importe quel linge dans le monde universel. Est-ce que romarin [22] et Roméo ne commencent pas tous les deux par une lettre ?

ROMÉO

Oui, Nourrice, pourquoi ça ? Tous les deux par un R.

LA NOURRICE

Ah, moqueur ! Rrr… Rrr… c'est la langue au chat [23] ! R c'est pour le – Non, je sais bien que ça commence par une autre lettre, – et elle a fait les plus jolies histoires là-dessus, sur vous et le romarin, que vous auriez bien plaisir à les entendre.

ROMÉO

Recommande-moi à ta maîtresse.

Roméo sort.

LA NOURRICE

Oui, oui, mille fois ! Peter !

PETER

Voilà !

LA NOURRICE

Marche devant, et vivement ! germaine

Ils sortent.

Scène 5

Le jardin de Capulet.
Entre JULIETTE.

JULIETTE

La cloche sonnait neuf heures quand partit la Nourrice
En une demi-heure elle allait revenir.
Peut-être qu'elle n'a pu le rencontrer ? Non, impossible.
Elle est boiteuse ! Les messagers d'amour
Devraient être les pensées, qui volent dix fois plus vite
Que les rayons du jour
Chassant les ombres des collines nuageuses ;
C'est pourquoi de rapides colombes traînent l'Amour
Et Cupidon semblable au vent possède des ailes.
Maintenant le soleil est sur le plus haut mont
De son voyage de ce jour, et de neuf heures jusqu'à
midi
Il y a trois longues heures, elle n'est pas revenue.

Si elle avait des passions et un jeune sang bouillant
Elle eût été dans son mouvement comme une balle,
Mes paroles l'auraient lancée vers mon cher amour
Et les siennes vers moi.
Mais bien souvent les vieux ont l'air d'être des morts
Pesants, lents, et lourds et gris comme le plomb.

Entre la Nourrice avec Peter.

Dieu ! la voici. Ô douce Nourrice, quelles nouvelles ?
Dis, l'as-tu rencontré ? Fais sortir ton homme.

LA NOURRICE

Peter, reste à la porte.

Peter sort.

JULIETTE

Alors, douce bonne Nourrice, –
Seigneur ! pourquoi un air si triste ?
Même si tristes sont les nouvelles, dis-les gaiement,
Et sinon, tu gâtes la musique des douces nouvelles
À me les jouer avec un visage aussi mauvais.

LA NOURRICE

Je suis éreintée ; laissez-moi le temps de souffler.
Là, que mes os me font mal ! Et j'en ai fait une trotte !

JULIETTE

Je voudrais que tu eusses mes os et moi tes nouvelles !
Viens, je t'en supplie, parle, bonne Nourrice, parle !

LA NOURRICE

Jésus, Jésus, quelle hâte ! Et vous ne pouvez pas
attendre un petit instant ?
Et vous ne voyez pas que je suis toute hors de souffle ?

JULIETTE

Comment es-tu hors de souffle, quand tu as le souffle
Pour me dire que tu es toute hors de souffle ?
L'excuse que tu donnes pour ton retard
Est plus longue que l'histoire dont tu t'excuses.

Tes nouvelles sont-elles bonnes, sont-elles mauvaises ?
Réponds à cela ; dis quelque chose,
Et j'attendrai pour les détails ;
Satisfais-moi, sont-elles bonnes ou mauvaises ?

LA NOURRICE

Ah bien, vous en avez fait, un pauvre choix ; vous ne savez pas comment on choisit un homme. Roméo ! non, pas lui. Bien que sa figure soit plus belle que celle de n'importe qui, ses jambes l'emportent sur celles de tout le monde. Quant à sa main, son pied, son corps, bien qu'il n'y ait rien à en dire, ils sont au-dessus de toute comparaison. Ce n'est pas la fleur de la courtoisie, mais je vous le garantis aussi doux qu'un agneau. Va ton chemin, fille, et sers Dieu. Alors, est-ce que vous avez dîné, à la maison ?

JULIETTE

Non, non. Mais tout cela je le savais avant.
Que dit-il au sujet de notre mariage, que dit-il ?

LA NOURRICE

Seigneur, que la tête me fait mal ! Quelle tête, quelle tête j'ai là !
Elle bat comme si elle allait éclater en mille pièces.
Et mon dos de l'autre côté ! – Ah mon dos, mon dos par là !
Malheur à votre cœur qui m'envoie attraper la mort en galopant à droite et à gauche !

JULIETTE

Ma foi je suis bien peinée de te voir si fatiguée.
Mais dis-moi, douce douce Nourrice, que t'a déclaré mon amour ?

LA NOURRICE

Votre amour a déclaré – comme un honnête gentilhomme, et courtois, et bon, et beau, et je le garantis vertueux – où est votre mère ?

JULIETTE

Comment, où est ma mère ? Voyons, elle est chez elle.
Où serait-elle donc ? Tu réponds drôlement :
« Votre amour a déclaré, comme un honnête gentilhomme,
Où est votre mère ? »

LA NOURRICE

Chère dame du Bon Dieu !
Êtes-vous donc si ardente ? Allez-y, par Marie !
Et c'est tout ça votre cataplasme pour mes pauvres os malades ?
Une autre fois faites vos commissions vous-même !

JULIETTE

Quel bruit pour rien ! – Viens, que dit Roméo ?

LA NOURRICE

Avez-vous la permission d'aller aujourd'hui à confesse ?

JULIETTE

Je l'ai.

LA NOURRICE

Alors courez à la cellule du Frère Laurent,
Là vous attend un mari pour vous faire femme.
Allez, voilà ce polisson de sang qui monte à vos joues,
À la moindre nouvelle
Elles vont devenir rouges !
Rendez-vous à l'église, et moi j'irai ailleurs
Chercher une échelle, par laquelle votre amour
Doit monter au nid de l'oiseau quand il fera sombre.
Je suis la bête de somme et je peine pour votre plaisir
Mais c'est vous qui porterez le poids, aussitôt que viendra la nuit !
Allez, je vais dîner. Courez à la cellule.

JULIETTE

Vers mon très grand bonheur ! –
Brave Nourrice, adieu.

Elles sortent.

Scène 6

La cellule de Frère Laurent.
Entrent FRÈRE LAURENT *et* ROMÉO.

FRÈRE LAURENT

Que sourie donc le Ciel à cet acte sacré
Et plus tard ne le fasse point payer par le chagrin.

ROMÉO

Amen, amen ! Mais vienne n'importe quel chagrin
Il ne peut compenser cet échange de joie
Que sa vue dans une petite minute me donne.
Par des mots consacrés joins seulement nos mains
Et que la mort dévoreuse d'amour fasse comme elle veut !
C'est assez que je puisse dire : elle est à moi.

FRÈRE LAURENT

Ces violentes joies ont de violentes fins
Et meurent dans leur triomphe comme feu et poudre
Qui se consument en s'embrassant ; le plus doux miel
Est écœurant par son propre délice
Et confond l'appétit par son excellent goût.
Long amour fait ainsi : aimons modérément ;
Le trop vif arrive aussi tard que le trop lent.

Entre Juliette.

Voici la dame : oh, un pas si léger
N'usera jamais le silex éternel.
L'amoureux peut passer sur les fils de la Vierge
Qui paressent dans l'air folâtre de l'été
Sans tomber, la vanité est si légère.

JULIETTE

Je souhaite bonsoir à mon saint confesseur.

FRÈRE LAURENT

Roméo pour nous deux, fille, te remerciera.

JULIETTE

Qu'il lui soit donné même remerciement
Ou ses mercis seraient alors trop grands

ROMÉO

Ah Juliette, si la mesure de ta joie
Est comblée comme est la mienne,
Et si ton adresse est plus grande
À en dire la louange, embaume alors de ton haleine
L'air alentour et que la riche musique de ta langue
Déploie l'image du bonheur que l'un de l'autre
En cette chère rencontre nous recevons.

JULIETTE

La pensée plus riche en matière qu'en parole
Se glorifie de sa substance et non pas de son ornement ;
Il n'y a que les mendiants qui puissent compter leur richesse.
Mon vrai amour a grandi jusqu'à tel excès
Que je ne puis plus faire la somme
De la moitié de mon trésor.

FRÈRE LAURENT

Venez, venez avec moi et nous allons faire rapidement.
Car avec votre permission je ne vous laisserai pas seuls
Avant que la sainte Église ait uni les deux en un seul.

Ils sortent.

ACTE III

Scène I

Une place publique.

Entrent MERCUTIO, BENVOLIO, *et des serviteurs.*

BENVOLIO

Je t'en prie, bon Mercutio, retirons-nous :
Il fait chaud, et les Capulet sont dans la ville ;
Si nous les rencontrons nous n'éviterons pas une querelle,
Par ces chaudes journées bouillonne le sang fou.

MERCUTIO

Tu es comme ces gaillards qui à peine entrés dans une taverne vous flanquent leur épée sur la table en criant : « Dieu veuille que je n'aie pas à m'en servir ! » et qui dès l'effet du second verre la tirent contre le tireur de vin, sans aucune nécessité.

BENVOLIO

Suis-je un type de ce genre ?

MERCUTIO

Allons, allons, tu es un bougre aussi chaud que n'importe lequel en Italie, et aussi vite excité à être emporté, et aussi vite emporté à être excité.

BENVOLIO

Et à quel propos ?

MERCUTIO

Hé, s'il y en avait deux de pareils nous n'en aurions bientôt plus qu'un, car il aurait tué l'autre. Toi ! mais tu querelles un homme si sa barbe a un poil de plus ou de moins que la tienne. Tu le querelles parce qu'il casse des noix [24], pour la seule raison que tes yeux sont couleur de noisette ; quel œil, sinon cet œil-là, pourrait dénicher une telle querelle ? Ta tête est pleine de querelles comme un œuf de nourriture, bien qu'elle ait été si souvent battue par les querelles que la voilà comme un œuf gâté. Tu t'es querellé avec un homme qui toussait dans la rue, parce qu'il réveillait ton chien qui dormait au soleil. N'es-tu pas tombé sur un tailleur parce qu'il portait son habit neuf avant Pâques ? Et sur un autre parce qu'il avait noué ses souliers neufs avec de vieux rubans ? Et c'est toi qui prétends m'apprendre à éviter les querelles ?

BENVOLIO

Si j'étais aussi prompt à la bataille que tu l'es, toi, tout homme pourrait acheter ma vie éternelle pour une heure et quart.

MERCUTIO

Ta vie éternelle ! Ô sempiternel.

Entrent Tybalt et d'autres.

BENVOLIO

Par ma tête, voilà les Capulet.

MERCUTIO

Par mon talon, ça m'est bien égal.

TYBALT

Suivez-moi de près car je veux leur parler.
Seigneurs, bonsoir. Un mot à l'un de vous.

MERCUTIO

Et rien qu'un mot à l'un de nous ? Accouplez-le à quelque chose ; faites-en un mot et un coup.

TYBALT

Vous me trouverez tout prêt à cela, Monsieur, si vous m'en donnez l'occasion.

MERCUTIO

Ne pourriez-vous pas saisir une occasion sans qu'on vous la donnât ?

TYBALT

Mercutio, tu es de concert avec Roméo –

MERCUTIO

De concert ! Nous prends-tu pour des musiciens ? et si tu nous prends pour des musiciens, tu peux t'attendre à n'écouter que des discordances. Voilà mon archet ; voilà pour vous faire danser. Sang de Dieu ! Concert !

BENVOLIO

Nous parlons ici en un lieu fréquenté.
Ou retirons-nous dans quelque endroit privé
Ou raisonnons froidement sur vos griefs
Ou séparons-nous là. Tous les yeux sont sur nous.

MERCUTIO

Les yeux des hommes sont faits pour voir, qu'ils voient ;
Je ne bougerai pas pour le plaisir d'un homme.

Entre Roméo.

TYBALT

Allons, soyez en paix, Monsieur : voici mon homme.

MERCUTIO

Qu'on me pende, Monsieur, s'il porte votre livrée !
Par la Vierge, allez sur le terrain, il vous y suivra,
Dans ce sens Votre Seigneurie l'appellera « son homme ».

TYBALT

Roméo, l'amour que je te porte ne peut trouver
Meilleure expression que celle-ci : tu es un lâche.

ROMÉO

Tybalt, la raison que j'ai de t'aimer
Excuse la rage d'un pareil salut ;
Je ne suis pas un lâche ; donc adieu
Car je le vois, tu ne me connais pas.

TYBALT

Mon garçon, ceci ne peut excuser les injures
Que tu m'as faites : tourne-toi et combats !

ROMÉO

Je proteste, jamais je ne t'ai fait injure,
Et je t'aime à un degré que tu ne peux imaginer
Tant que tu n'auras point connu la raison de mon amour :
Ainsi, bon Capulet – et ce nom, il m'est cher
Tout autant que le mien – sois satisfait.

MERCUTIO

Calme déshonorant ! Abjecte soumission !
Alla stoccata! Emporte-moi ça !

Il dégaine.

Tybalt, chercheur de rats, voulez-vous faire un tour ?

TYBALT

Qu'est-ce que vous voulez de moi ?

MERCUTIO

Bon Prince des Chats ! rien qu'une de vos neuf vies avec laquelle j'ai l'intention de prendre des libertés, et selon que vous en userez avec moi ensuite, me réservant de rosser les huit autres. Voulez-vous tirer votre épée par ses oreilles ? et faites vite, sinon la mienne va être sur vos oreilles avant que la vôtre ne soit dehors.

TYBALT

Je suis à vous.

Il dégaine.

ROMÉO

Rentre ton épée, mon bon Mercutio.

MERCUTIO

Allons, Monsieur, votre passado !

Ils se battent.

ROMÉO

Dégaine, Benvolio ; abattons leurs armes !
Seigneurs, par pudeur, empêchez cet outrage !
Tybalt, Mercutio, le Prince expressément
Interdit les combats dans les rues de Vérone !
Arrête, Tybalt ! Bon Mercutio !

Tybalt atteint Mercutio sous le bras de Roméo et s'enfuit.

MERCUTIO

Je suis blessé.
La peste sur vos Maisons. Je suis expédié.
Il est parti ? Et il n'a rien, lui ?

BENVOLIO

Tu es blessé ?

MERCUTIO

Oui, une égratignure, une égratignure. C'est assez.
Où est mon page ? Va, coquin, cherche un chirurgien.

Le Page sort.

BENVOLIO

Courage, ami ; la blessure n'est pas grande.

MERCUTIO

Non, elle n'est pas aussi profonde qu'un puits, ni aussi large qu'une porte d'église. Mais elle suffit, elle servira ; demandez-moi demain et vous trouverez un homme bien grave[25]. Je suis poivré, je vous le dis, pour ce monde. – La peste sur vos Maisons ! – Sangdieu, un chien, un rat, une souris, un chat, égratigner un homme à mort !

Un crâneur, une brute, un lâche qui se bat d'après le traité d'arithmétique ! Et pourquoi diable vous êtes-vous jeté entre nous ? J'ai été touché par-dessous votre bras.

ROMÉO

Je voulais faire pour le mieux.

MERCUTIO

Aide-moi jusqu'à une maison, Benvolio,
Ou je vais m'évanouir. – La peste sur vos deux Maisons !
Elles ont fait de moi une viande pour les vers.
Je l'ai, et rudement bien. Vos Maisons !

Mercutio et Benvolio sortent.

ROMÉO

Ce gentilhomme, proche parent du Prince,
Mon véritable ami, reçoit ce coup mortel
Pour moi ; et ma réputation
Est atteinte par l'injure de Tybalt, de ce Tybalt
Qui une heure fut mon cousin : douce Juliette,
Ta beauté m'a donc fait un efféminé,
Elle amollit en moi l'acier de ma valeur !

Rentre Benvolio.

BENVOLIO

Ô Roméo, le brave Mercutio est mort.
Ce galant esprit a franchi les nuages
Lui qui prématurément a pris la terre en dédain.

ROMÉO

Le noir destin de ce jour sur d'autres jours est suspendu,
Celui-ci commence un malheur que d'autres devront finir.

Rentre Tybalt.

BENVOLIO

Voilà le furieux Tybalt qui revient encore.

ROMÉO

Vivant, en triomphe ! Et Mercutio tué !

Retourne au ciel, attentive douceur,
Qu'avec son œil de feu la fureur me conduise ! –
Allons, Tybalt, retire ce « lâche » de tout à l'heure
Car l'âme de Mercutio
N'a fait qu'un petit chemin par-dessus nos têtes
Attendant la tienne, pour avoir compagnie.
Toi ou moi, ou les deux, nous partons avec lui.

TYBALT

Toi misérable enfant, qui tenais pour lui,
Avec lui tu partiras.

ROMÉO

Ceci décidera.

Ils se battent. Tybalt tombe.

BENVOLIO

Roméo, va-t'en, fuis !
Les citoyens sont ameutés, Tybalt tombé !
Ne reste pas là stupide : le Prince te condamnera à mort
Si tu es pris. Va-t'en ! fuis ! loin d'ici !

ROMÉO

Oh – je suis le fou de la Fortune !

BENVOLIO

Pourquoi restes-tu ?

Roméo sort. Entrent les citoyens.

PREMIER CITOYEN

Par où s'est enfui celui qui tua Mercutio ?
Le meurtrier, Tybalt, par où s'est-il enfui ?

BENVOLIO

Le voilà, ce Tybalt.

PREMIER CITOYEN

Levez-vous, Monsieur !
Suivez-moi, je vous somme au nom du Prince, obéissez.

Entrent le Prince, le vieux Montaigue, Capulet, leurs femmes, et d'autres !

LE PRINCE

Où sont les vils instigateurs de la bagarre ?

BENVOLIO

Noble Prince, je puis révéler
Tout le cours malheureux de l'horrible querelle.
Voici l'homme, tué par le jeune Roméo ;
Qui tua votre cousin le brave Mercutio.

DAME CAPULET

Tybalt, mon cousin ! Prince, l'enfant de mon frère !
Ô Prince ! Ô mon cousin ! Ô mon ami ! Le sang
De mon plus cher parent est répandu ! Si vous êtes juste
Prince, pour notre sang, vous répandrez le sang
De Montaigue ! Ô mon cousin, ô mon cousin.

LE PRINCE

Benvolio, qui a commencé la rixe sanglante ?

BENVOLIO

Tybalt ici tué, que tua la main de Roméo.
Roméo, lui parlant doucement, le priait de considérer
Que la querelle était futile, et il invoquait encore
Votre haute volonté ; tout cela d'une voix tranquille
Et l'air calme, avec les genoux humblement ployés,
Ne put faire trêve à la colère désordonnée
De Tybalt. Et celui-ci sourd à la paix
Bientôt se lance avec l'acier perçant
Vers la poitrine du valeureux Mercutio ;
Lui, tout aussi ardent, oppose pointe à pointe,
Avec un martial dédain il écarte d'une main
La froide mort, et de l'autre il la retourne sur Tybalt
Dont l'adresse la lui renvoie ; Roméo crie :
« Cessez, amis ! Séparez-vous ! » et plus rapide que sa langue
Son bras agile abaisse les deux pointes,
Il se précipite entre eux, mais sous son bras

Un envieux coup de Tybalt atteint la vie de Mercutio.
Tybalt s'enfuit, et bientôt après il revient
Sur Roméo qui depuis un instant voulait sa vengeance ;
Ils se sont jetés l'un sur l'autre comme en un éclair
Car avant que j'aie dégainé pour les séparer Tybalt était tué,
Et comme il tombait Roméo s'enfuyait.
Telle est la vérité, ou qu'on mette à mort Benvolio.

DAME CAPULET

Prince, c'est un parent des Montaigue,
L'affection le fait mentir, il ne dit pas la vérité :
Il y en avait bien vingt de chez eux combattant dans cette noire mêlée
Et tous ces vingt ont pu seulement tuer une vie !
Je demande la justice, que vous, Prince, devez faire :
Roméo a tué Tybalt, Roméo doit perdre la vie.

LE PRINCE

Oui Roméo l'a tué, mais lui a tué Mercutio ;
Qui maintenant me paiera le prix de ce cher sang ?

MONTAIGUE

Pas Roméo, Prince, il était l'ami de Mercutio ;
Sa faute fut de terminer ce que la loi devait trancher :
L'existence de Tybalt.

LE PRINCE

Et pour cette offense
Immédiatement nous l'exilons d'ici.
Je suis atteint par les actes de votre haine,
Mon sang, pour vos querelles de brutes, ruisselle à terre.
Mais je vous frapperai d'une peine si dure
Que tous vous déplorerez la perte des miens.
Je serai sourd aux plaidoyers et aux excuses,
Ni larmes ni prières ne pourront vous racheter.
N'en usez pas. Que Roméo se hâte de partir

Ou s'il est découvert son heure est la dernière.
Que l'on porte ce corps ; attendez nos arrêts.
La clémence ne fait que tuer, en pardonnant aux meurtriers.

Ils sortent.

Scène 2

Le jardin de Capulet.
Entre JULIETTE, *seule.*

JULIETTE

Galopez vite, ô vous coursiers aux pieds de feu
Vers la demeure de Phœbus. Un conducteur
Comme Phaéton vous eût fouettés vers l'ouest
Et eût précipité déjà la nuit nuageuse.
Déploie ton épais rideau, nuit qui accomplis les amours,
Que les yeux du fuyard [26] se ferment, que Roméo
Ni entendu ni vu s'élance dans mes bras.
Les amants voient clair pour leurs rites d'amour
Par leur beauté même ; ou bien s'il est aveugle
L'amour s'accorde avec la nuit. Viens, sérieuse nuit,
Toi matrone simplement vêtue de noir,
Apprends-moi comment perdre une partie gagnée
Dont les enjeux sont deux virginités sans tache ;
Et mon sang non dressé [27], qui bat dans mes joues,
Encapuchonne-le de ton noir manteau, jusqu'à ce que
Le timide amour devenant audacieux
Voie comme un acte de modestie l'acte d'amour.
Viens, nuit ! Viens, Roméo, viens, toi jour dans la nuit
Car tu seras étendu sur les ailes de la nuit
Plus blanc que la nouvelle neige sur le dos noir d'un corbeau
Viens, gentille nuit ! Nuit aimante, au front sombre,
Donne-moi mon Roméo ; et quand il devra mourir

Prends-le et coupe-le en petites étoiles
Et la face du ciel il la fera si belle
Que le monde sera amoureux de la nuit
Et ne rendra plus culte à l'éclatant soleil.
Oh j'ai acheté la demeure d'un amour
Mais je ne l'ai pas possédée, et bien que je sois vendue
Je ne suis pas prise encore ; aussi ennuyeux est ce jour
Qu'est la soirée avant une grande fête
Pour l'impatiente enfant qui a des robes neuves
Et ne peut les porter. – Oh voici ma Nourrice.

Entre la Nourrice, avec des cordes.

Elle apporte des nouvelles,
Et toute langue parle avec l'éloquence du ciel
Qui dit seulement le nom de Roméo. –
Alors, Nourrice, quelles nouvelles ?
Et qu'as-tu là ? les cordes
Que Roméo t'a dit d'aller chercher ?

LA NOURRICE

Oui, oui, les cordes.

Elle les jette à terre.

JULIETTE

Ah, quelles nouvelles ? Pourquoi tords-tu tes mains ?

LA NOURRICE

Ah jour affreux ! Il est mort, il est mort.
Nous sommes perdues, Madame, nous sommes perdues.
Hélas quel jour ! – Il n'est plus, il est tué, il est mort !

JULIETTE

Le ciel pourrait-il être si haineux ?

LA NOURRICE

Roméo le peut,
Si le ciel ne le peut pas. Ô Roméo, ô Roméo ! –
Qui jamais l'aurait pensé ? – Roméo, ah Roméo.

JULIETTE

Quel démon es-tu pour me tourmenter ?
Cette torture on pourrait la hurler dans l'horrible enfer !
Roméo s'est-il tué lui-même ? Dis seulement « oui »
Et ce « oui » tout nu m'empoisonnera plus
Que l'œil dardant la mort du basilic.
Je ne suis plus moi si j'entends un tel « oui »,
Si ces yeux sont fermés qui te font dire « oui ».
S'il est tué, dis « oui », s'il ne l'est pas dis « non ».
Ces sons brefs décideront
Du bonheur ou du malheur.

LA NOURRICE

J'ai vu la blessure, je l'ai vue de mes yeux,
(Dieu me pardonne) à sa mâle poitrine,
Un cadavre, un malheureux cadavre ensanglanté,
Pâle, pâle comme la cendre,
Tout barbouillé de sang, tout en sang caillé,
En le voyant j'ai perdu connaissance.

JULIETTE

Oh brise-toi mon cœur, pauvre banqueroutier
Brise-toi sur le coup !
En prison mes yeux, et ne regardez plus
Jamais la liberté !
Ô terre vile, arrête ton mouvement, retourne à la terre
Et qu'une lourde bière presse toi et Roméo.

LA NOURRICE

Ô Tybalt, ô Tybalt, le meilleur ami que j'aie eu !
Ô très courtois Tybalt, et seigneur très honnête,
Devais-je vivre pour te voir tué un jour ?

JULIETTE

Quelle tempête soufflant en sens contraire ?
Roméo est-il tué – Tybalt est-il mort ?
Mon très cher cousin, et mon plus cher seigneur ?
Alors trompette mortelle, sonne le dernier jugement !
Si ces deux-là ne sont plus, qui reste vivant ?

LA NOURRICE

Tybalt est bien parti, et Roméo banni,
Roméo, qui l'a tué, il est banni.

JULIETTE

Ô Dieu ! – la main de Roméo a versé le sang de Tybalt ?

LA NOURRICE

Elle l'a versé ; jour de malheur, elle l'a versé !

JULIETTE

Ô cœur serpent caché sous un visage de fleurs !
Jamais dragon a-t-il gardé un si bel antre ?
Toi beau tyran, angélique démon !
Corbeau orné des plumes de colombe
Agneau ravisseur comme le loup !
Substance méprisable en un divin aspect !
Juste l'opposé de ce que justement tu parais être ;
Un saint damné, un honorable lâche !
Ô nature qu'avais-tu à faire au fond de l'enfer
Quand tu enfermas un démoniaque esprit
Au paradis mortel d'une si belle chair ?
Quel livre a jamais contenu matière si vile
Relié de si belle façon ? Un tel mensonge
Peut-il habiter dans un si splendide palais ?

LA NOURRICE

Il n'y a pas de confiance à avoir dans les hommes ;
Ni bonne foi ni honnêteté ; tous des parjures,
Tous des faussaires, des vauriens et des mensongers.
Où est-il mon valet ? Qu'on me donne un peu d'*aqua vitae* :
Ces chagrins et ces malheurs me feront devenir vieille.
La honte sur Roméo !

JULIETTE

Et que ta langue se couvre d'ampoules
Pour un tel vœu ! Il n'était pas né pour la honte
Et la honte est honteuse de s'asseoir sur son front
Car c'est un trône où peut être couronné l'honneur

Seul monarque de la terre universelle.
Oh quelle bête j'étais de l'injurier !

LA NOURRICE

Vous parlez bien de celui qui tua votre cousin ?

JULIETTE

Parlerai-je mal
De celui qui est mon mari ? Ah pauvre seigneur,
Quelle langue douce pansera ton nom
Quand moi ta femme depuis trois heures je l'ai meurtri ?
Mais aussi pourquoi, misérable, avoir tué mon cousin ?
C'est que ce cousin misérable, il aurait tué mon mari.
Rentrez donc, larmes folles, remontez à votre source
Car vos gouttes tributaires appartiennent au chagrin
Et, vous trompant, vous les apportez à la joie.
Mon mari vit, lui que Tybalt voulait tuer.
Tybalt est mort, qui voulait tuer mon mari.
Tout cela est consolant et alors pourquoi pleurer ?
Mais il y a un mot, mot pire que la mort
De mon cousin, qui m'a assassinée,
Je voudrais l'oublier ! Oh mais il presse sur ma mémoire
Comme les actions damnées sur la conscience du pécheur :
« Tybalt est mort, et Roméo – banni »,
« Banni », ce mot « banni », l'unique mot « banni »
Tue dix mille Tybalt ! La mort de Tybalt
Était un suffisant malheur s'il s'arrêtait là ;
Ou si le malheur amer se réjouit dans l'amitié
Et veut absolument être entouré d'autres malheurs,
Pourquoi, quand elle a dit « Tybalt est mort »,
N'ont pas suivi « et ton père » – « et ta mère » –
Oui, ou les deux,
Ce qui aurait mérité les lamentations ordinaires ?
Mais faire suivre la mort de mon cousin
De cette arrière-garde : « Roméo est banni »,
C'est père, mère, Tybalt, Roméo, Juliette,
Tous tués et tous morts. « Roméo est banni. »
Il n'y a ni fin ni limite, ni mesure ni terme

Dans la mort de ce mot-là,
Et nul mot pour faire sonner un tel malheur !
Nourrice – où est mon père, où est ma mère ?

LA NOURRICE

Pleurant et gémissant sur le corps de Tybalt.
Voulez-vous aller vers eux ? Je vous y mènerai.

JULIETTE

Lavent-ils ses blessures avec leurs larmes ?
Mes larmes je les dépenserai
Quand les leurs seront séchées, pour l'exil de Roméo.
Ramasse les cordes.
Oh l'on vous a trompées, mes pauvres cordes,
Vous et moi trompées ; Roméo est banni.
Il vous a faites pour la grand'route vers mon lit
Mais moi fille, je meurs comme une fille veuve,
Viens Nourrice ; et vous, cordes. Je vais au lit nuptial ;
Que la mort et non Roméo prenne ma virginité !

LA NOURRICE

Allez à votre chambre. Je trouverai Roméo
Pour vous consoler. Je sais bien où il est.
Entendez-vous, il sera ici cette nuit votre Roméo.
J'y vais, j'y vais : il est caché
Dans la cellule de Laurent.

JULIETTE

Oh trouve-le ! Donne à mon chevalier fidèle cet anneau,
Dis-lui de venir prendre son dernier adieu.

Elles sortent.

Scène 3

La cellule de Frère Laurent.
Entre FRÈRE LAURENT.

FRÈRE LAURENT

Roméo, montre-toi ; montre-toi, peureux homme,
Car l'affliction s'est éprise de toi
Et tu es marié à la calamité.

Entre Roméo.

ROMÉO

Mon père, quelles nouvelles ? Le jugement du Prince ?
Quelle douleur cherche à toucher ma main
Sans que je la connaisse encore ?

FRÈRE LAURENT

Trop familier
Est mon cher fils de cette triste compagnie.
Je t'apporte la teneur du jugement du Prince.

ROMÉO

Peut-il être moins que le jugement dernier,
Le jugement du Prince ?

FRÈRE LAURENT

Un jugement plus doux est tombé de ses lèvres.
Non pas la mort du corps, le bannissement du corps.

ROMÉO

Ah, bannissement ! Soyez clément, dites « la mort » ;
Car l'exil a bien plus d'horreur en son regard,
Beaucoup plus que la mort ! Ne dites pas
« bannissement ».

FRÈRE LAURENT

Tu es banni de cette ville de Vérone :
Sois patient ; le monde est vaste, le monde est grand.

ROMÉO

Il n'y a pas de monde hors des murs de Vérone
Mais purgatoire, torture, enfer lui-même.
Le banni d'ici c'est le banni du monde
Et l'exil du monde est la mort ; alors « banni »
C'est la mort sous un faux nom ; en appelant la mort
« banni »
Vous me tranchez la tête avec une hache d'or
Et souriez du coup qui m'a assassiné.

FRÈRE LAURENT

Ô mortel péché ! Grossière ingratitude !
Ta faute, notre loi l'appelle mort ; mais le bon Prince
Prenant ton parti a écarté la loi
Et changé cette noire mort en bannissement :
C'est une grande grâce, et tu ne le vois pas.

ROMÉO

Non, c'est torture et non pas grâce ; le ciel est là
Où vit Juliette ; un chien, un chat,
Une petite souris, toute chose même indigne
Vivent ici au ciel, peuvent la regarder
Mais Roméo ne le peut pas ;
Plus de pouvoir et d'honneur et de privilège
Vivent dans les mouches du charnier
Que dans le pauvre Roméo :
Car elles peuvent s'emparer
Du blanc miracle de la main de ma Juliette
Et ravir l'immortelle bénédiction de ses deux lèvres
Qui en leur modestie pure et virginale
Rougissent même, prenant leur propre baiser pour un
péché.
Mais Roméo ne le peut pas, il est banni.
Les mouches peuvent faire ce que moi je dois fuir,
Elles sont libres, tandis que moi je suis banni.
Et direz-vous encor que l'exil n'est point mort ?
N'avez-vous ni mixture de poison
Ni couteau aiguisé tranchant

Ni moyen foudroyant de mort si bas qu'il soit,
Mais seulement « banni », pour me tuer ? – « Banni » ?
Ô frère les damnés usent de ce mot-là
Dans l'enfer et les hurlements l'accompagnent.
Vous qui êtes le divin confesseur des âmes
Le remetteur des péchés, et mon vrai ami,
Comment avez-vous le cœur
De m'écraser avec ce mot « banni » ?

FRÈRE LAURENT

Toi, homme sans raison, écoute une parole.

ROMÉO

Oh vous allez encor parler de bannissement.

FRÈRE LAURENT

Je te donnerai une armure, pour supporter un tel mot ;
Le doux lait de l'adversité, la philosophie
Sera propre à te consoler, malgré que tu sois banni.

ROMÉO

Encor « banni » ? Pendez votre philosophie !
Tant que la philosophie ne pourra faire une Juliette
Ou déplacer une ville ou renverser l'arrêt du Prince,
Elle ne sert à rien et ne peut rien : ne parlez plus.

FRÈRE LAURENT

Alors, je le vois bien, les fous n'ont pas d'oreilles.

ROMÉO

Comment en auraient-ils, si les sages n'ont pas d'yeux ?

FRÈRE LAURENT

Accorde-moi de discuter sur ton état.

ROMÉO

Vous ne pouvez parler, vous ne l'éprouvez pas :
Êtes-vous jeune comme moi ?
Juliette votre amante ?
Marié depuis une heure, ayant tué Tybalt,
Éperdu comme je suis et comme moi banni,

Alors vous pourriez parler et vous arracher les cheveux
Et tomber sur la terre, comme je fais,
Donnant mesure pour une tombe à creuser.

On frappe au-dehors.

FRÈRE LAURENT

Debout ! On frappe ; bon Roméo, cache-toi.

ROMÉO

Non, pas moi.
À moins que les soupirs des gémissements du cœur
Ne me dérobent comme un brouillard à la recherche des yeux.

On frappe.

FRÈRE LAURENT

Écoute, comme on frappe ! – Qui est là ? – Debout, Roméo,
Tu vas être pris ! – Attendez un moment. – Lève-toi, Roméo !

On frappe.

Va dans ma chambre ! – Tout à l'heure ! – Bonté de Dieu,
Quel entêtement. – Je viens, je viens.

On frappe.

Qui frappe donc si fort ? D'où venez-vous ? Et que voulez-vous ?

LA NOURRICE, *au-dehors.*

Laissez-moi entrer et vous connaîtrez mon message ;
C'est de la part de Dame Juliette.

FRÈRE LAURENT

Soyez la bienvenue.

Entre la Nourrice.

LA NOURRICE

Ô saint frère, oh dites-moi, saint frère,

Où est le seigneur de ma dame, où est Roméo ?

FRÈRE LAURENT

Là, à terre, par ses propres larmes enivré.

LA NOURRICE

Oh, il est dans le même état que ma maîtresse,
Juste le même état.

FRÈRE LAURENT

Ô triste sympathie,
Bien pitoyable cas !

LA NOURRICE

Elle est couchée comme ça
Braillant et pleurnichant, pleurnichant et braillant.
Levez-vous, levez-vous ; debout, vous êtes un homme.
Pour l'amour de Juliette, pour elle, redressez-vous.
À quoi sert de tomber dans un si profond ou-ouh !

ROMÉO

Nourrice.

LA NOURRICE

Ah Monsieur, ah Monsieur ! Eh bien, la mort est la fin de tout.

ROMÉO

Parles-tu de Juliette ? Comment est-ce, pour elle ?
Ne me voit-elle pas comme un dur meurtrier
À présent que j'ai souillé l'enfance de notre joie
Avec un sang si peu éloigné de son propre sang ?
Où est-elle et que fait-elle ? et que dit
Ma secrète épouse à notre amour anéanti ?

LA NOURRICE

Oh elle ne dit rien, Monsieur, elle pleure et pleure ;
Et puis elle tombe sur son lit ; et puis d'un coup elle se relève ;
Et puis elle appelle Tybalt ; et puis elle crie Roméo,
Et puis elle retombe encore une fois.

ROMÉO

Comme si ce nom
Lancé par la mortelle volée d'un canon
La tuait, comme la main maudite de ce nom
A tué son cousin ! Dis-moi, frère, dis-moi
Dans quel vil endroit de cette anatomie
Loge mon nom ? Dis-le pour que je puisse saccager
La hideuse demeure !

Il tire son poignard et la Nourrice le lui arrache.

FRÈRE LAURENT

Arrête ta main désespérée !
Es-tu un homme ? Ta forme crie bien que tu l'es
Mais tes larmes sont d'une femme et tes actions
Montrent la furie sans raison d'une bête.
Une femme inconvenante dans un semblant d'homme,
Une bête mal séante ayant de l'homme et de la femme !
Oui tu m'as étonné, et par mon saint Ordre,
Je croyais ton caractère un peu mieux trempé.
As-tu tué Tybalt ? Et veux-tu te tuer ?
Et tuer ta femme qui vit de ta vie
En faisant cette action damnée contre toi-même ?
Pourquoi injuries-tu ta naissance, le ciel et la terre ?
Puisque ta naissance, le ciel, la terre, sont en toi
Qui veux les perdre ensemble tous les trois ?
Tu fais honte à ta forme, à ton amour, à ton esprit,
Alors que comme un usurier tu as tout en abondance
Et n'uses de rien selon l'usage vrai
Qui doit orner ta forme, ton amour, ton esprit.
Ta noble forme n'est donc qu'une image de cire
Bien éloignée de la vaillance d'un homme,
Ton cher amour juré n'est donc qu'un creux parjure
Qui tue cet amour que tu jures d'aimer ;
Ton esprit, cet ornement de la forme et de l'amour
Déformé dans sa conduite de l'un et l'autre,
Comme la poudre dans le sac d'un mauvais soldat
Prend feu en raison de ta propre ignorance

Et te démembre avec les moyens de ta défense.
Allons, relève-toi, homme, relève-toi !
Ta Juliette est vivante
Pour l'amour de qui tu étais presque mort,
Et en cela tu es un homme heureux ;
Tybalt a voulu te tuer, tu l'as frappé,
En cela aussi tu es un homme heureux ;
La loi qui te menaçait de mort devient ton amie
Et se change en exil,
Et par cela enfin tu es un homme heureux.
Mais un paquet de bénédictions tombe sur ton dos !
Mais le bonheur te courtise vêtu de ses plus beaux atours !
Et comme une fille maussade qui mal se conduit
Toi tu boudes ta fortune et ton amour ?
Prends garde, ceux qui font ainsi meurent misérables.
Va trouver ton amour comme il fut décidé,
Monte à sa chambre et donne-lui consolation ;
Mais veille à ne pas y rester jusqu'à l'heure
Où l'on place le guet, car tu ne pourrais plus gagner Mantoue ;
Là tu vivras jusqu'à ce que nous ayons trouvé le temps favorable
De proclamer votre mariage, de réconcilier vos amis,
D'obtenir le pardon du Prince et de te rappeler ici
Où tu reviendras avec vingt mille fois plus de joie
Que tu n'auras eu de désolation à t'en aller.
Va devant, Nourrice, et recommande-moi à ta dame ;
Qu'elle hâte le coucher de toute la maison
Ce à quoi leur grand chagrin les disposera :
Roméo vient.

LA NOURRICE

Ô Seigneur ! toute la nuit je resterais bien
Pour entendre si bons conseils ; ce que c'est que l'instruction !
À ma dame j'annoncerai que vous arrivez, Monseigneur.

ROMÉO

Fais-le. Et dis à mon doux cœur
Qu'elle se prépare à me gronder.

La Nourrice fait mine de partir, puis revient sur ses pas.

LA NOURRICE

Voilà, Monsieur, justement une bague
Qu'elle m'a priée, Monsieur, de vous donner.
Dépêchez-vous et venez vite, il se fait tard.

Elle sort.

ROMÉO

Que mon bonheur est par tout cela ranimé !

FRÈRE LAURENT

Va, bonne nuit ; tout ton avenir tient en ceci :
Ou sois parti avant qu'on ne pose le guet,
Ou bien au point du jour fuis sous un déguisement.
Reste à Mantoue ; je trouverai un homme
Pour te faire connaître de temps en temps
Toute chose favorable ayant chance d'arriver.
Donne-moi ta main ; il est tard ; et bonne nuit,
Adieu.

ROMÉO

N'était cette joie dépassant toute joie
Qui m'appelle hors d'ici,
J'aurais peine à me séparer de vous si vite,
Adieu.

Ils sortent.

Scène 4

La maison de Capulet.

Entrent CAPULET, DAME CAPULET *et* PARIS.

CAPULET

Les choses ont tourné, Monsieur, si malheureusement, que nous n'avons pas eu le temps d'avertir notre fille. Voyez-vous, elle aimait tendrement son cousin Tybalt, et moi aussi : allons, nous sommes nés pour mourir ! Il est bien tard, elle ne descendra plus ce soir. Je vous l'assure, c'est pour jouir de votre compagnie, sinon je serais dans mon lit depuis une heure.

PARIS

Ces temps douloureux ne permettent point de faire sa cour.
Madame, bonne nuit ; veuillez me recommander à votre fille.

DAME CAPULET

Je le ferai, dès demain je saurai ce qu'elle pense ; cette nuit, elle est emmurée dans sa tristesse.

CAPULET

Seigneur Paris,
Je prends sur moi d'offrir l'amour de mon enfant :
Et je crois qu'à tous points de vue elle se laissera guider par moi,
Bien plus, je n'en doute pas !
Ma femme, allez donc chez elle avant de vous coucher,
Faites-lui savoir l'amour de mon fils Paris. Et signifiez-lui
Vous m'entendez ? que mercredi – mais au fait quel jour est-ce aujourd'hui ?

PARIS

Lundi, Monseigneur.

CAPULET

Lundi ! Ha, ha ! Eh bien, mercredi c'est trop tôt. Disons jeudi. Annoncez-lui qu'elle sera mariée jeudi au noble comte. Tout sera prêt, oui ? Cette hâte vous plaît ? Nous ne ferons pas de grands embarras. Un ami ou deux. Parce que, n'est-ce pas, Tybalt ayant été tué récemment, on pourrait penser que nous ne tenions guère à lui, si nous faisions par trop de réjouissances, vu qu'il était notre cousin. Alors c'est dit, nous aurons une demi-douzaine d'amis et ce sera tout. – Que dites-vous de jeudi ?

PARIS

Monseigneur, je voudrais que jeudi fût demain.

CAPULET

Bien, vous pouvez partir ; ce sera pour jeudi. – Vous, allez trouver Juliette avant de vous coucher, et encore une fois, ma femme, préparez-la à ce mariage. – Au revoir, Monseigneur. – Et de la lumière dans ma chambre, ho ! Pardieu il est si tard, que bientôt nous pourrons dire qu'il est de bonne heure. – Et dormez bien.

Ils sortent.

Scène 5

La chambre de Juliette.
Entrent ROMÉO *et* JULIETTE.

JULIETTE

Tu veux partir ? Ce n'est pas près d'être le jour.
C'était le rossignol et non pas l'alouette
Qui a percé le fond craintif de ton oreille ;
Il chante la nuit sur ce grenadier,
Crois-moi, amour, c'était le rossignol.

ROMÉO

C'était l'alouette messagère de l'aube

Et non le rossignol ; vois quelles raies jalouses,
Amour,
Brodent sur les nuées en l'orient lointain ;
Les cierges de la nuit sont brûlés, le gai matin
Fait des pointes sur les montagnes embrumées.
Il faut vivre et partir – ou mourir et rester.

JULIETTE

Cette clarté n'est pas le jour, moi je le sais.
C'est quelque météore que le soleil exhale
Pour qu'il soit ton porteur de torche en cette nuit
Et t'éclaire sur ta route de Mantoue.
Oh reste. Tu ne dois pas partir encore.

ROMÉO

Que je sois donc saisi et mis à mort,
Je suis heureux, si c'est ta volonté.
Je dirai que ce gris n'est pas l'œil du matin
Mais seulement le pâle reflet du front de Cynthia ;
Et ce n'est pas non plus l'alouette qui frappe
De ses notes le ciel voûté si haut sur nos têtes.
J'ai plus désir de rester que volonté de partir :
Viens mort, et bienvenue ! Juliette le veut ainsi.
Que dit mon âme ? Parlons encor. Ce n'est pas le jour.

JULIETTE

C'est lui, le jour ! Fuis, va-t'en, va-t'en vite !
Oui c'est bien l'alouette qui chante faux
Et force sa note aiguë et discordante.
On dit que son chant fait de douces divisions,
Celle-ci n'en fait pas puisqu'elle nous divise ;
On dit que l'alouette et le crapaud hideux
Ont échangé leurs yeux [28] ; maintenant je voudrais
Qu'ils eussent fait aussi échange de leurs voix,
Puisque les bras loin des bras, cette voix nous effare,
Te chassant avec la fanfare de chasse du jour.
Oh pars. Il fait plus clair, toujours plus clair.

ROMÉO

Plus clair, toujours plus clair ;
Plus noire, toujours plus noire, notre désolation.

Entre précipitamment la Nourrice.

LA NOURRICE

Madame !

JULIETTE

Nourrice ?

LA NOURRICE

Madame votre mère approche de la chambre. Le jour est levé, soyez prudente, faites attention.

Elle sort.

JULIETTE

Alors fenêtre
Laisse entrer le jour, laisse sortir la vie.

ROMÉO

Adieu, adieu ! Un baiser. Je descends.

Il descend.

JULIETTE

Tu pars ainsi ? Mon amour seigneur, mon époux
amant !
Je veux avoir de tes nouvelles à toute heure chaque jour
Car en une minute il y a bien des jours
Et à ce compte je serai vieille de beaucoup d'années
Avant que je revoie mon Roméo !

ROMÉO

Adieu !
Je ne perdrai pas une occasion
D'envoyer mon salut vers toi, ô mon amour.

JULIETTE

Crois-tu, crois-tu que jamais nous nous reverrons ?

ROMÉO

J'en suis certain ; et toutes ces peines serviront
À nos doux souvenirs, dans le temps à venir.

JULIETTE

Ô mon Dieu ! J'ai une âme de pressentiment.
Il me semble, à présent que te voilà si bas,
Te voir comme un mort dans le fond d'une tombe :
Ou je vois trouble ou tu es pâle extrêmement.

ROMÉO

Amour, crois-moi, tu es aussi pâle à mes yeux.
La douleur assoiffée boit notre sang. Adieu !
Adieu.

Il sort.

JULIETTE

Ô fortune, ô fortune ! tous les hommes t'appellent
Inconstante, ô fortune. Si tu es inconstante
Que fais-tu avec lui, renommé pour sa fidélité ?
Fortune sois inconstante, et alors je pourrai
Espérer que tu ne le garderas pas un trop long temps,
Que tu me le rendras !

DAME CAPULET

Ma fille, êtes-vous levée ?

JULIETTE

Qui appelle ? Ma mère ?
Si tard n'est-elle pas couchée, ou si tôt levée ?
Quelle raison inaccoutumée la fait venir ?

Entre Dame Capulet.

DAME CAPULET

Alors, comment va, Juliette ?

JULIETTE

Madame, je ne me sens pas bien.

DAME CAPULET

Toujours pleurant sur la mort du cousin ?
Quoi, veux-tu l'extraire avec tes larmes de son tombeau ?
Et quand même tu le pourrais tu ne le ferais pas revivre,
Aussi n'y pense plus ; un peu de chagrin prouve beaucoup d'amour
Mais beaucoup de chagrin montre trop peu d'esprit.

JULIETTE

Pourtant laissez-moi pleurer
Une perte aussi sensible.

DAME CAPULET

Alors vous sentirez la perte,
Non plus l'ami que vous pleurez.

JULIETTE

Sentant si fort la perte
Je ne saurais choisir et pleure toujours l'ami.

DAME CAPULET

Ma fille, ce n'est point tant pour sa mort que vous pleurez
Mais parce que le misérable qui l'a tué est vivant encore !

JULIETTE

Madame, quel misérable ?

DAME CAPULET

Mais ce misérable Roméo !

JULIETTE, *bas.*

Misérable et lui sont écartés par mille lieues !

À haute voix.

Que Dieu pardonne. Je le fais de grand cœur.
Pourtant nul homme n'a fait ainsi souffrir mon cœur.

DAME CAPULET

C'est que le traître meurtrier est encor vivant !

JULIETTE

Oui Madame, et hors d'atteinte de mes mains :
Si je pouvais, moi seule, venger la mort de mon cousin !

DAME CAPULET

Nous aurons notre vengeance, n'ayez pas peur.
Alors ne pleurez plus. J'enverrai à Mantoue
Où doit vivre ce renégat et ce banni,
Quelqu'un pour lui donner une boisson bizarre
À tel point qu'il ira tenir à Tybalt compagnie.
Et alors vous serez contente, j'espère bien.

JULIETTE

Je ne serai jamais contente avec Roméo
Avant de l'avoir revu, – mort –
Est mon pauvre cœur pour mon parent frappé.
Madame, si vous pouviez trouver un homme
Qui portât le poison, je le préparerais
Si bien que Roméo l'ayant reçu
Dormirait vite en paix. Oh que mon cœur abhorre
De l'entendre nommer, et ne pouvoir aller
Vers lui pour assouvir l'amour que je portais
À mon cousin Tybalt, sur le corps qui l'a tué !

DAME CAPULET

Trouvez donc le moyen, moi je trouverai l'homme.
Mais à présent, ma fille,
Je vous apprendrai de joyeuses nouvelles.

JULIETTE

La joie vient à propos en un si pauvre temps.
Et quelles sont-elles ? Je supplie votre seigneurie de me les dire.

DAME CAPULET

Oui tu as un père prévoyant, ma chère enfant,
Qui a trouvé pour te tirer de ta tristesse

Une journée inattendue de joie
Que tu n'espérais pas, et que moi-même
Je ne prévoyais pas.

JULIETTE

Madame, c'est fort heureux, quelle est cette journée ?

DAME CAPULET

Par Marie, mon enfant, jeudi de bon matin
Le galant, jeune et noble gentilhomme
Comte Paris, à l'église Saint-Pierre
Heureusement fera de toi une joyeuse épouse.

JULIETTE

Alors par l'église Saint-Pierre et saint Pierre aussi,
Là il ne fera point de moi sa joyeuse épouse !
Je m'étonne de cette hâte ; et que je doive me marier
Avant que celui qui serait mon époux m'ait fait sa cour.
Je vous prie, dites à mon seigneur et père
Que je ne veux pas encore me marier ;
Et si je le fais, j'assure que ce serait plutôt
Avec Roméo, que je hais vous le savez,
Qu'avec Paris. En vérité voilà des nouvelles !

DAME CAPULET

Voici votre père ; dites-lui ça vous-même,
Et vous verrez comment il prend la chose, venant de
vous.

Entrent Capulet et la Nourrice.

CAPULET

Après le coucher du soleil, l'air est couvert de rosée ;
Mais après le couchant de l'enfant de mon frère
Il pleut, en vérité !
Et alors ? Une gargouille, ma fille ? Encore en larmes ?
Encore et toujours des averses ? Dans un petit corps
comme ça
Tu veux imiter une barque, une mer, et aussi le vent ?
Car tes yeux, je peux aussi bien dire que c'est la mer

Faisant avec les larmes le flux et le reflux ;
La barque, c'est ton corps voguant sur l'eau salée, le
vent tes soupirs
Qui rageant contre tes larmes, tes larmes rageant contre
eux,
À moins d'une accalmie soudaine, vont renverser
Ton corps brisé par la tempête !
Allons ! allons donc, ma femme !
Lui avez-vous donné connaissance de nos volontés ?

DAME CAPULET

Oui, Monsieur, mais elle ne veut pas, elle vous remercie.
Je voudrais que la sotte épousât son tombeau.

CAPULET

Tout doux ! Répétez-moi, répétez-moi, ma femme.
Comment, elle ne veut pas ? Elle ne nous adresse pas
Ses remerciements ? Et ne se sent pas fière ?
Elle ne s'estime pas bénie, indigne qu'elle est,
Quand nous lui fabriquons un si digne seigneur
Pour lui servir d'époux ?

JULIETTE

Fière, je ne le suis pas, mais bien reconnaissante.
Fière je ne puis l'être de ce que je hais,
Mais je suis reconnaissante pour la haine même
Qui a comme intention l'amour.

CAPULET

Et alors, et alors ? Et alors, casse-logique ?
Qu'est-ce que ça veut dire ?
« Fière » et « je remercie » et « je ne remercie pas »
Et avec ça « pas fière » ! Vous, maîtresse mignonne,
Laissez-moi vos remerciements et rengainez-moi vos fiertés
Mais préparez vos beaux jarrets pour jeudi prochain
Afin d'aller avec Paris jusqu'à Saint-Pierre,
Ou je vous y traînerai plutôt sur une claie !
Hors d'ici, pâle charogne ! hors d'ici saleté !
Face de carême !

DAME CAPULET

Oh fi ! Voyons, est-ce que vous êtes fou ?

JULIETTE

Mon bon père, je vous en supplie à genoux,
Avec patience écoutez-moi vous dire un mot.

CAPULET

Va te pendre, saleté de fille ! Désobéissante créature.
Jeudi à l'église ! ou ne me regarde plus jamais en face.
Et ne parle pas, ne réplique pas, ne réponds pas :
Les doigts me démangent.
Femme, nous avions pensé que nous n'étions pas trop bénis
Puisque Dieu nous avait envoyé cette unique fille,
Mais je vois que cette seule fille est une de trop
Et que nous l'avons reçue pour notre malédiction.
Arrière, salope !

LA NOURRICE

Dieu du ciel, bénis-la ! –
C'est bien mal à vous, Monseigneur, de l'arranger comme vous faites.

CAPULET

Et pourquoi ça, Dame Sagesse ? Tenez votre langue,
Mère Prudence, allez jacasser avec vos commères, allez !

LA NOURRICE

Je ne dis rien de mauvais.

CAPULET

Hé, Dieu vous foute le bonsoir !

LA NOURRICE

Alors on ne peut plus parler ?

CAPULET

La paix, vieille folle radoteuse !
Sortez vos gravités devant un plat de commères,
Ici on n'en a pas besoin.

DAME CAPULET

Vous vous échauffez.

CAPULET

Pain de Dieu ! On me rendra fou.
Le jour, la nuit, en toute heure, toute saison, en tout temps, tout moment,
Au travail comme au jeu, seul ou en compagnie, je n'avais qu'un souci :
La marier ; et maintenant que j'ai bien préparé
Un gentilhomme de noble parenté,
Jeune, ayant de beaux biens, dignement élevé,
Bourré comme on dit de bonnes qualités
Et aussi bien proportionné que n'importe qui puisse vouloir un homme !
Voir une pauvre folle pleurnicheuse, une gémissante poupée
Déclarer quand on lui annonce son bonheur :
« Je ne veux pas me marier. Je ne peux pas encore aimer.
Je suis trop jeune. Je vous prie de me pardonner ! »
Mais, si vous ne voulez pas vous marier, oui je vais vous pardonner –
D'aller paître où ça vous plaira,
Vous ne vivrez plus sous mon toit !
Réfléchissez et pensez-y, vous le savez,
Moi je n'ai pas pour habitude de plaisanter.
Jeudi est proche. La main sur le cœur, avisez.
Si vous êtes ma fille, alors, je vous donnerai à mon ami.
Et si vous n'êtes pas ma fille, pendez-vous, mendiez, crevez de faim,
Par mon âme, je ne vous reconnaîtrai point
Et rien de ce qui est mien ne sera jamais votre bien.
Croyez ça, et pensez-y bien, car moi je n'en démordrai pas !

Il sort.

JULIETTE

Il n'y a donc aucune pitié parmi les nuages

Qui voie dans la profondeur de ma douleur ?
Ô vous ma bonne mère, ne me repoussez pas.
Retardez ce mariage d'un mois, d'une semaine,
Ou si vous ne pouvez, mettez mon lit nuptial
Dans ce monument sombre où Tybalt est couché.

DAME CAPULET

Ne me parle plus, je ne dis plus un mot.
Fais à ta guise ; car j'en ai fini avec toi.

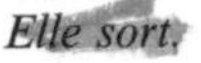

Elle sort.

JULIETTE

Ô Dieu ! – Nourrice, comment puis-je l'empêcher ?
Mon époux est sur terre, ma foi est dans le ciel ;
Comment cette foi pourrait-elle revenir sur terre
Tant que mon époux ne me l'aura point renvoyée du ciel
Ayant lui-même quitté la terre ?
Console-moi, conseille-moi.
Hélas, le Ciel peut-il donc user de tels stratagèmes
Contre une créature aussi faible que moi ?
Que dis-tu ? N'as-tu pas une petite parole de joie ?
Donne un encouragement, Nourrice.

LA NOURRICE

Ma foi je dis ceci : Roméo
Est banni ; et je parie le monde entier pour rien
Que jamais il n'osera venir vous réclamer ;
Ou s'il le fait, il faudra que ce soit à la dérobée !
Alors puisque le cas est à présent comme ça
Il vaut mieux, que je crois, vous marier au comte.
Oh c'est un bien joli monsieur ; et Roméo
N'est qu'une lavette auprès de lui ; Madame, un aigle
N'a pas l'œil aussi vert, aussi vif, aussi beau
Que l'a Paris. Et maudit soit mon cœur,
Je crois que vous serez heureuse en ce deuxième
engagement
Car il surpasse le premier ! Et en serait-il autrement

Votre premier est mort, ou il vaudrait mieux qu'il soit mort
Plutôt que vous vivant ici sans pouvoir vous en servir !

JULIETTE

Parles-tu du fond de ton cœur ?

LA NOURRICE

Et du fond de mon âme aussi,
Ou je sois maudite, âme et cœur !

JULIETTE

Amen !

LA NOURRICE

Quoi ?

JULIETTE

Oui tu m'as consolée merveilleusement.
Rentre. Et dis à ma mère que je suis allée,
Ayant mécontenté mon père, à la cellule de Laurent
Pour me confesser et recevoir l'absolution.

LA NOURRICE

Sainte Marie, j'y vais ; vous faites bien sagement.

Elle sort.

JULIETTE

Vieille malédiction ! Ah le méchant démon !
Où est le plus grand péché : me vouloir ainsi parjure
Ou calomnier mon seigneur avec cette langue
Qui l'a loué par-dessus tout au monde
Tant de milliers de fois ! Va, conseillère,
Toi et mon cœur désormais seront deux.
J'irai chez le frère, lui demander remède,
Et si tout m'abandonne, j'ai le pouvoir de mourir.

Elle sort.

ACTE IV

Scène I

La cellule de Frère Laurent.
Entrent FRÈRE LAURENT *et* LE COMTE PARIS.

FRÈRE LAURENT

Jeudi, Monsieur ? Le temps est vraiment court.

PARIS

Ainsi le veut mon beau-père Capulet.
Il n'y a rien en moi pour retarder sa hâte.

FRÈRE LAURENT

Vous dites ignorer les pensées de la dame :
Le procédé n'est pas bien droit, je ne l'aime pas.

PARIS

Elle pleure sans répit la mort de son cousin
Et c'est pourquoi je lui ai peu parlé d'amour,
Car Vénus ne sourit pas dans une maison de larmes.
Or son père, Monsieur, estime dangereux
Qu'elle donne si grand empire à son chagrin ;
Avec sagesse il veut hâter notre mariage
Pour arrêter l'inondation des larmes
Qui favorisée par la solitude
Pourrait être refoulée par les plaisirs de société.
Vous savez à présent les raisons de la hâte.

FRÈRE LAURENT, *à part.*

Et je voudrais ne pas savoir pourquoi faut-il tant retarder. –

Haut.

— Voyez, Monsieur, la dame vient vers ma cellule.

Entre Juliette.

PARIS

Rencontre heureuse, ô vous ma dame et mon épouse !

JULIETTE

Cela pourra être, Monsieur, quand je pourrai être épouse.

PARIS

Ce « pourra être » devra être, mon amour, jeudi prochain.

JULIETTE

Ce qui doit être sera.

FRÈRE LAURENT

Voilà qui est bien certain.

PARIS

Venez-vous pour vous confesser à ce bon père ?

JULIETTE

Vous répondre serait me confesser à vous.

PARIS

Ne lui niez pas que vous m'aimez.

JULIETTE

Je vous confesserai que je l'aime.

PARIS

Et aussi j'en suis certain, vous lui direz que vous m'aimez.

JULIETTE

Cela aura bien plus de prix, si je le fais,
Dit derrière votre dos, non devant votre face.

PARIS

Ma pauvre âme, ta face est bien injuriée par les pleurs.

JULIETTE

Les pleurs ont gagné de faibles victoires
Car ma face était laide avant leur méchanceté.

PARIS

Ces mots lui font plus grande injure que tes pleurs.

JULIETTE

Ce qui est vérité n'est point calomnie ;
Monsieur, ce que j'ai dit je l'ai dit à ma face.

PARIS

Ta face est à moi, et tu l'as calomniée.

JULIETTE

Il se peut, car elle n'est pas à moi. –
Êtes-vous disposé maintenant, saint père,
Ou devrai-je revenir à la messe du soir ?

FRÈRE LAURENT

Je suis disposé maintenant, fille pensive.
Monseigneur, nous vous demandons à être seuls.

PARIS

Dieu me préserve de troubler la dévotion !
Juliette, je vous réveille jeudi de bon matin.
Jusqu'à ce jour, adieu, gardez ce pieux baiser.

Il sort.

JULIETTE

Oh fermez la porte, et quand vous l'aurez fermée
Venez pleurer avec moi ; plus d'espoir, plus de remède,
Plus de secours !

FRÈRE LAURENT

Ah Juliette, je connais déjà ton chagrin.
Il dépasse l'étendue de mon esprit ;
J'apprends que tu dois, et rien ne peut le reculer,
Être mariée à ce comte jeudi prochain.

JULIETTE

Ne dites pas, frère, que vous l'apprenez
Tant que vous ne direz pas comment je puis
l'empêcher !
Si dans votre sagesse vous ne pouvez me prêter aide
Alors appelez sage ma résolution
Et avec ce couteau j'y aiderai moi-même.
Dieu a joint mon cœur au cœur de Roméo
Et vous nos mains ; avant que cette main scellée par vous
À Roméo soit le sceau d'un contrat nouveau
Et que mon vrai cœur par traîtrise et révolte
Vers un autre se tourne, ah ceci les tuera !
Ainsi par la vertu d'une longue expérience
Donnez-moi conseil aussitôt, ou regardez :
Entre l'extrémité de ma douleur et moi
Ce couteau sanglant sera juge et décidera
Sur ce que l'autorité de vos années et de votre art
N'auront pu conduire au véritable honneur.
Ne tardez pas tant à parler ! Je languis de mourir
Si ce n'est point le remède que vous allez dire.

FRÈRE LAURENT

Arrête, fille ; j'épie une sorte d'espoir
Qui réclame une exécution tout aussi désespérée
Qu'est désespéré ce que nous voulons prévenir.
Puisque, pour ne point te marier au comte Paris
Tu aurais l'énergie de vouloir te tuer,
Alors sans doute auras-tu courage d'affronter
Une chose égale à la mort, pour écarter le déshonneur
Et de lutter avec la mort même pour échapper.
Si tu l'oses, je te donnerai le remède.

JULIETTE

Oh, plutôt que d'épouser Paris, ordonne-moi
De m'élancer du haut des créneaux d'une tour,
Ou d'aller sur les chemins avec les voleurs ;
Ordonne-moi de me cacher où sont les serpents ;
Enchaîne-moi au milieu des ours rugissants ;
Enferme-moi pendant la nuit dans l'ossuaire
Tout rempli par les os des morts qui s'entre-choquent
Avec les tibias pourris, les crânes sans mâchoire jaunis.
Dis-moi d'entrer dans une tombe fraîchement creusée
Pour me cacher avec un mort sous son linceul !
Choses telles, que les entendre raconter m'a fait frémir.
Je les ferai sans craindre et sans hésiter
Pour vivre épouse intacte de mon doux aimé.

FRÈRE LAURENT

Écoute alors. Rentre à la maison et sois gaie,
Et dis que tu consens à épouser Paris.
Mercredi c'est demain ; demain soir, veille à te coucher
seule,
Éloigne la Nourrice de ta chambre.
Prends cette fiole, et étant dans ton lit
Absorbe cette liqueur distillée ;
Alors aussitôt dans toutes tes veines
Coulera une humeur froide assoupissante.
Car nulle pulsation ne gardera son cours, tout
s'arrêtera ;
Aucune chaleur, aucun souffle
N'attesteront que tu existes ;
Les roses sur ta bouche et tes joues flétriront
En cendre pâle et les volets des yeux tomberont.
Ce sera comme la mort
Fermant le jour de la vie.
Chaque membre, privé de son souple pouvoir,
Raide et dur et froid, paraîtra mort.
Et sous cet affreux aspect pris à la mort
Tu demeureras quarante-deux heures
Pour t'éveiller enfin comme d'un doux sommeil.

Donc quand ton fiancé viendra vers le matin
Pour te réveiller dans ton lit, tu seras morte :
Alors, comme c'est l'usage en notre contrée,
Sous tes plus belles robes dans une bière ouverte
Tu seras portée à l'ancien caveau
Où repose toute la famille des Capulet.
Et cependant, avant que tu sois éveillée,
Roméo par mes lettres connaîtra le plan
Et vite il reviendra ; et lui et moi
Nous surveillerons ton réveil et cette nuit-là
Roméo t'emportera jusqu'à Mantoue.
Voilà qui te délivrera du déshonneur
Si nul faible caprice ou féminine frayeur
N'abattent ton courage à l'heure décisive.

JULIETTE

Donne, donne-moi ! Oh ne parle pas de frayeur.

FRÈRE LAURENT

Tiens. Pars maintenant. Sois forte et sois heureuse
En ta résolution. Moi j'envoie à Mantoue
Un frère avec une lettre à ton seigneur.

JULIETTE

Amour, donne-moi force ! Force donnera secours.
Adieu, ô mon cher père.

Ils sortent.

Scène 2

La maison de Capulet.
Entrent CAPULET, DAME CAPULET, LA NOURRICE
et deux serviteurs.

CAPULET

Invite toutes les personnes inscrites là-dessus.

Le premier serviteur sort.

Et toi, faquin, va m'engager vingt cuisiniers habiles.

DEUXIÈME SERVITEUR

Vous n'en aurez pas un de mauvais, M'sieur, je vas essayer voir s'ils savent se lécher les doigts.

CAPULET

Qu'est-ce que tu essaieras comme ça ?

DEUXIÈME SERVITEUR

Par la Sainte Vierge, M'sieur, c'est un mauvais cuisinier celui qui ne sait pas se lécher les doigts ! Alors celui qui ne sait pas se lécher les doigts, il ne viendra pas avec moi.

CAPULET

C'est bon, va-t'en.

Le deuxième serviteur sort.

Cette fois, nous allons être pris au dépourvu ! Et ma fille, elle est allée chez le Frère Laurent ?

LA NOURRICE

Oui bien sûr.

CAPULET

Bon, bon, il lui fera peut-être un peu de bien. C'est une petite garce butée et entêtée.

Entre Juliette.

LA NOURRICE

Voyez-la, comme elle revient de confesse avec un air content.

CAPULET

Alors, la tête dure ! Où êtes-vous allée vous promener ?

JULIETTE

Là où j'appris à me repentir de mon péché
De désobéissance envers vous et vos ordres ;
Il me fut commandé
Par le saint Frère Laurent de me prosterner à vos pieds

Pour demander votre pardon :
Ainsi, je vous en prie, pardon.
Dorénavant je me laisserai toujours conduire par vous.

CAPULET

Envoyez chercher le comte ; allez, racontez-lui ça.
Et je veux que le nœud nuptial soit noué dès demain matin.

JULIETTE

J'ai rencontré le jeune seigneur
Dans la cellule de Laurent
Et je lui ai donné ce que peut accorder
Dans les bornes de modestie l'amour bienséant.

CAPULET

Bon, bon, j'en suis ravi. C'est bien. Relève-toi.
Et maintenant c'est comme ça doit être. –
Il nous faut voir le comte. Hé morbleu, allez donc,
Allez vite, et ramenez-le-moi ici ! –
Vraiment, devant Dieu, ce révérend père,
La ville entière lui doit de la reconnaissance.

JULIETTE

Nourrice, veux-tu venir avec moi dans ma chambre
M'aider à choisir les parures convenables
Celles qu'à ton avis je dois porter demain ?

DAME CAPULET

Non, pas avant jeudi ; nous avons bien le temps.

CAPULET

Va, Nourrice, va avec elle. Nous irons à l'église demain.

Juliette et la Nourrice sortent.

DAME CAPULET

Nous serons à court de provisions ! et c'est maintenant bientôt la nuit.

CAPULET

Tut, tut ! je vais me remuer. Tout ira bien, femme, je te le garantis. Toi va chez Juliette, aide-la à se faire belle. Je ne me coucherai pas cette nuit. Qu'on me laisse seul. Je m'en vais faire la ménagère. Hé ! Ho ! ils sont tous partis. Bon, je vais aller moi-même chez le comte Paris, pour l'engager à venir dès demain. Mon cœur est merveilleusement léger, depuis que cette petite fille capricieuse est regagnée.

Ils sortent.

Scène 3

La chambre de Juliette.
Entrent JULIETTE *et* LA NOURRICE.

JULIETTE

Oui ces parures sont les plus jolies ;
Mais gentille Nourrice,
Je t'en prie laisse-moi cette nuit seule avec moi-même
Car j'ai besoin de dire beaucoup d'oraisons
Pour implorer le Ciel
Afin qu'il sourie à ma situation
Qui est, tu le sais, trouble et pleine de péché.

Entre Dame Capulet.

DAME CAPULET

Hé vous êtes occupée, dites-moi ? Avez-vous besoin de mon aide ?

JULIETTE

Non Madame, nous avons choisi tout le nécessaire
Ce qui convient pour la cérémonie demain.
Ainsi je vous en pric que l'on me laisse seule
Et que Nourrice passe la nuit auprès de vous,
Car j'en suis sûre vous avez beaucoup trop d'ouvrage

En cette soudaine affaire.

DAME CAPULET

Oui bonne nuit.
Allez au lit, et reposez, vous en avez bien besoin.

Sortent Dame Capulet et la Nourrice.

JULIETTE

Adieu ! – Dieu sait quand nous nous reverrons.
J'ai une frayeur froide
Et vague, qui circule dans mes veines
Et glace presque la chaleur de vie.
Je vais les rappeler pour me rendre courage.
Nourrice ! – Ah pourquoi faire ?
Ma scène horrible il faut la jouer seule. –
Viens, fiole. –
Et si la drogue ne produisait rien ?
Serais-je alors mariée demain matin ?
Non, non, – voilà qui l'empêchera, – toi reste là.

Elle pose près d'elle un poignard.

Et si c'était un poison, que le frère
M'aurait donné par tromperie pour m'avoir morte
Craignant par ce mariage être déshonoré
Parce qu'il m'a mariée avant à Roméo ?
Je le crains ; et pourtant ça ne peut pas être, il me semble,
Il a toujours été connu comme un saint homme.
Et si quand je serai couchée dans le tombeau
Je m'éveillais avant le temps où Roméo
Viendra me délivrer ? C'est une horrible idée.
Ne vais-je pas être étouffée dedans la tombe
Dont la hideuse bouche ne respire jamais d'air sain
Et là mourir suffoquée
Avant que vienne mon Roméo ?
Ou si je vis n'est-il pas bien possible
Que l'horrible pensée de la mort et de la nuit
Tout ensemble, avec l'épouvante du lieu –

Un caveau, un réceptacle où depuis des centaines
d'années
Les os des ancêtres ensevelis sont entassés
Où Tybalt ensanglanté encore tout frais à la terre
Se tient pourrissant dans son suaire ; où, à ce que l'on dit,
À certaines heures de la nuit reviennent les esprits ! –
Hélas hélas, n'est-il pas possible que moi
Réveillée trop tôt – dans ces odeurs infectes,
Et ces cris comme ceux de la mandragore arrachée de
terre
Qui font que les vivants, les entendant, deviennent
fous ! –
Oh, si je me réveille, je perde la raison,
Environnée par toutes ces hideuses frayeurs ?
Et follement je jouerai avec les ossements des ancêtres ?
J'arracherai le Tybalt mutilé de son linceul ?
Et dans ma rage, avec les os de quelque ancien parent
Servant de massue, je fracasserai
Ma cervelle désespérée ? Oh regardez :
Il me semble que je vois l'ombre de mon cousin
Poursuivant partout Roméo
Qui a embroché son corps sur la pointe d'une épée ! –
Arrête, Tybalt, arrête ! –
Roméo, je viens ! C'est à toi que je bois, Roméo !

Elle tombe sur le lit entre les rideaux.

Scène 4

Une salle dans la maison de Capulet.
Entrent DAME CAPULET *et* LA NOURRICE.

DAME CAPULET

Tiens, Nourrice, prends ces clés, va me chercher encore des épices.

LA NOURRICE

Ils demandent des dattes et des coings, à la pâtisserie.

Entre le vieux Capulet.

CAPULET

Allons, remuez-vous, activez, activez ! Le second coq a chanté, le couvre-feu a été sonné, il est trois heures. Surveille les pâtés dans le four, ma bonne Angélique ; et fais les choses largement !

LA NOURRICE

Allez, allez, vous, chauffe-lit, allez-vous-en dormir ; ma foi, vous serez malade demain pour avoir veillé la nuit.

CAPULET

Pas un brin ! Hé j'ai veillé autrefois bien des nuits pour moins que ça, et je n'ai jamais été malade.

DAME CAPULET

Oui vous avez chassé la souris en votre temps,
Mais aujourd'hui
Je veille à vous préserver de ces veilles, mon ami.

Dame Capulet et la Nourrice sortent.

CAPULET

Un bonnet jaloux ! un bonnet jaloux !

Entrent trois ou quatre serviteurs portant des broches, des bûches et des paniers.

Hé bien, garçon, qu'est-ce que c'est que ça ?

PREMIER SERVITEUR

Des choses pour le cuisinier, M'sieur, mais je ne sais pas quoi.

CAPULET

Dépêche-toi, dépêche-toi.

Le premier serviteur sort.

Toi, faquin, apporte-moi des bûches plus sèches ! Appelle Peter, il te dira où ça se trouve.

DEUXIÈME SERVITEUR

J'ai une tête, M'sieur, à savoir trouver les bûches, et j'irai pas déranger Peter pour cette affaire.

Le deuxième serviteur sort.

CAPULET

Par la Sainte Messe, tu dis bien,
Un joyeux fils de pute, ha !
Tu seras une tête de bûche ! – Ah Foi de Dieu c'est le jour.
Le comte va être ici avec la musique
Dans un instant, comme il l'a dit.

Musique.

Le voilà, je l'entends. Nourrice ! Femme ! Quoi, ho !
Quoi, Nourrice, je vous dis !

Rentre la Nourrice.

Va réveiller Juliette, va et habille-la.
Moi je m'en vais faire causette avec Paris.
Ouste ! Dépêche-toi. Fais vite, le mari est là.
Fais vite, je te dis !

Ils sortent.

Scène 5

La chambre de Juliette.
Entre LA NOURRICE.

LA NOURRICE

Maîtresse ! maîtresse ! Juliette ! Ah je vous assure bien qu'elle est endormie.
Allons, l'agneau ? Madame ? Fi, celle qui traîne au lit !

Allons, m'amour, Madame, je vous dis ! Doux cœur ! Hé la mariée !
Quoi, pas un mot ? Vous en prenez maintenant votre compte.
Dormez pour une semaine : car je vous le promets, la prochaine nuit,
Le comte Paris a parié son repos que vous ne vous reposerez pas beaucoup.
Dieu me pardonne, sainte Vierge et Amen, comme elle est endormie !
Il faut pourtant bien que je la réveille. Madame, Madame !
Oui, et si vous laissez le comte vous prendre dans votre lit ?
Il saura vous réveiller, hein, je pense ? C'est-y pas vrai ?

Elle écarte les rideaux.

Quoi, tout habillée ! Avec votre robe ! Et puis recouchée !
Il faut vraiment vous réveiller ! Madame, Madame !
Hélas, hélas ! Au secours, au secours ! Ma dame est morte !
Oh quel malheureux jour le jour où je suis née !
Un peu d'eau-de-vie, ho ! Monseigneur, Madame !

Entre Dame Capulet.

DAME CAPULET

Quel bruit fait-on ici ?

LA NOURRICE

Ô lamentable jour !

DAME CAPULET

Qu'y a-t-il ? Qu'y a-t-il ?

LA NOURRICE

Regardez : affreux jour !

DAME CAPULET

Oh, oh ! Mon enfant, mon unique vie,
Reviens à toi, ouvre tes yeux, ou je vais mourir avec toi.
Au secours, au secours ! Appelez au secours !

Entre Capulet.

CAPULET

De grâce, amenez donc Juliette ; son seigneur est là.

LA NOURRICE

Elle est morte, décédée, morte, jour de malheur !

DAME CAPULET

Jour de malheur, elle est morte, elle est morte, elle est morte !

CAPULET

Ho ! laissez-moi la voir. C'est fini. Elle est froide.
Son sang s'est arrêté, ses membres sont raidis.
Ces lèvres-là et la vie sont séparées depuis longtemps.
La mort est étendue sur elle comme un gel précoce
Sur la plus douce fleur de tout le champ.

LA NOURRICE

Ô lamentable jour !

DAME CAPULET

Ô temps de désespoir !

CAPULET

La mort qui me l'a prise pour me faire gémir
Lie ma langue et ne me laisse plus parler.

Entrent Frère Laurent et Paris, avec des musiciens.

FRÈRE LAURENT

La fiancée est-elle prête afin de se rendre à l'église ?

CAPULET

Oui prête à y allcr, pour n'en plus revenir.
Ô mon fils, la nuit avant ton jour de noces,
La mort coucha avec ta femme : vois, elle est là

Fleur qu'elle était, et déflorée par elle.
Oui la mort est mon gendre, la mort mon héritier
Car elle a épousé ma fille ! Je veux mourir,
Je veux tout lui léguer : vie, biens, tout à la mort.

PARIS

Ai-je si longtemps voulu voir la face de ce matin
Pour qu'il m'apporte un tel spectacle ?

DAME CAPULET

Maudit, infortuné, malheureux, odieux jour !
L'heure la plus misérable que le temps ait vu
Dans le long labeur de son pèlerinage !
Une seule, une pauvre, une seule et douce enfant,
Une seule chose pour me réjouir et me consoler,
Et la cruelle mort l'arrachant à ma vue !

LA NOURRICE

Ô horreur ! Ô horrible horrible horrible jour !
Le plus lamentable jour, le plus horrible des jours
Que j'aie jamais jamais jamais vu jusqu'ici !
Ô jour ! Ô jour ! Ô jour ! Épouvantable jour !
Jamais je n'ai vu, jamais, un jour aussi noir que toi !
Ô horrible jour ! Horrible horrible jour !

PARIS

Trompé, divorcé, outragé, injurié
Et tué ! Détestable mort, par toi trompé,
Par toi cruelle, cruelle, détruit à tout à jamais !
Ô ma vie ! Ô amour !
Non plus la vie, mais l'amour dans la mort !

CAPULET

Méprisé, désolé, haï, martyrisé,
Assassiné ! Ô temps ennemi, pourquoi es-tu venu
Tuer, tuer notre solennité ?
Mon enfant ! Mon enfant ! Mon âme, non mon enfant !
Morte es-tu. Morte. Hélas mon enfant est morte.
Et avec mon enfant mes joies sont enterrées !

FRÈRE LAURENT

Paix, de grâce ! Le remède au chaos
N'est pas dans ce chaos. Le Ciel et vous
Avaient part à cette belle jeune fille
Et maintenant le Ciel a tout.
Cela vaut certes mieux pour la jeune fille.
Vous ne pouviez garder votre part de la mort
Mais le Ciel gardera sa part dans l'éternel.
Vous recherchiez surtout son élévation
Car c'était votre ciel qu'elle fût élevée
Et vous pleurez maintenant la voyant s'élever
Par-dessus les nuages jusqu'au Ciel lui-même ?
Ah dans cet amour vous aimez votre enfant
Si mal, que vous devenez fous de la voir heureuse !
Mais n'est pas bien mariée celle qui vit longtemps
mariée,
Elle est bien mieux mariée celle qui meurt jeune mariée.
Séchez vos pleurs, posez du romarin
Sur ce beau corps, et comme c'est la coutume
Dans ses plus beaux atours portez-la à l'église ;
Bien que la tendre nature nous commande de pleurer
Les larmes de la nature font sourire la raison.

CAPULET

Toutes ces choses que nous destinions à la fête
Détournées de leur fin serviront aux noires funérailles.
Nos instruments deviendront cloches mélancoliques
Et le festin de noces sera repas de deuil,
Nos hymnes solennels se feront chants funèbres,
Nos fleurs nuptiales couvriront le corps enseveli
Et toutes choses seront changées en leur contraire.

FRÈRE LAURENT

Monsieur, retirez-vous. Madame, suivez-le.
Et allez, seigneur Paris. Que chacun de vous
Se prépare à suivre ce beau corps jusqu'au tombeau.
Le Ciel s'appesantit sur vous pour quelque offense,
Ne l'irritez pas davantage en le contrariant.

Tous, sauf la Nourrice et les musiciens, sortent après avoir jeté du romarin sur Juliette et fermé les rideaux.

PREMIER MUSICIEN

Ma foi, nous pouvons serrer nos flûtes et filer.

LA NOURRICE

Mes honnêtes bons garçons, ah serrez-les, serrez-les. Parce que comme vous voyez, c'est un bien pitoyable cas.

Elle sort.

PREMIER MUSICIEN

Oui, c'est vrai, le cas pourrait être meilleur.

Entre Peter.

PETER

Musiciens, oh musiciens, « Le cœur à l'aise, Le cœur à l'aise » !
Oh si vous voulez que je vive, jouez-moi « Le cœur à l'aise ».

PREMIER MUSICIEN

Et pourquoi « Le cœur à l'aise » ?

PETER

Ô musiciens, parce que mon propre cœur joue « Mon cœur est dans la peine » ! Oh jouez-moi quelque joyeuse lamentation pour me réconforter.

PREMIER MUSICIEN

Pas de lamentations, nous. C'est pas l'heure de jouer maintenant.

PETER

Alors vous ne voulez pas ?

PREMIER MUSICIEN

Non.

PETER

Alors je vais vous en donner, et rondement.

PREMIER MUSICIEN

Qu'est-ce que tu vas nous donner ?

PETER

Pas de l'argent, bien sûr, des flûtes ! Je vais vous donner du musico !

PREMIER MUSICIEN

Alors moi je vais te donner du facchino !

PETER

Et le couteau du facchino va te donner sur le crâne ! Et puis tu sais, moi on ne me la fait pas avec des croches pointues ! Je m'en vais te *fa*, je m'en vais te *ré*, tu vas voir ! Est-ce que tu notes ?

PREMIER MUSICIEN

Si tu nous *ré* et si tu nous *fa*, c'est toi qui notes.

DEUXIÈME MUSICIEN

Ah ! je t'en prie, rengaine ton couteau et sors un peu ton esprit.

PETER

Alors je vais vous tirer mon esprit ! Je vais vous battre avec un esprit d'acier en rengainant mon couteau d'acier. Répondez-moi comme des hommes :

Quand le cœur est blessé par le chagrin poignant
Quand la plaintive mélancolie oppresse l'esprit,
Alors la Musique avec ses sons d'argent –

pourquoi « sons d'argent » ? pourquoi « la Musique avec ses sons d'argent » ? Qu'est-ce que tu dis, toi, Simon Boyaudechat ?

PREMIER MUSICIEN

Ben quoi ! parce que l'argent a un son agréable.

PETER

Ça va. Et qu'est-ce tu dis, toi, Hugues Rebec ?

DEUXIÈME MUSICIEN

« Sons d'argent », parce que les musiciens sonnent pour de l'argent.

PETER

Encore mieux. Et qu'est-ce tu dis, toi, Jean Boitaviolon ?

TROISIÈME MUSICIEN

Ben, je sais pas quoi dire !

PETER

Ah je vous demande pardon, c'est vous le chanteur. Je le dirai pour vous. C'est « la Musique avec ses sons d'argent » parce que les musiciens n'ont jamais d'or pour leur musique.

Quand la plaintive mélancolie oppresse l'esprit,
Alors la Musique avec ses sons d'argent
Se hâte d'apporter secours et nous guérit.

Il sort.

PREMIER MUSICIEN

En voilà encore un salaud !

DEUXIÈME MUSICIEN

Qu'il aille se faire foutre ! Tiens, viens par là ; on attendra l'enterrement, et on restera dîner.

Ils sortent.

ACTE V

Scène I

Mantoue. Une rue.
Entre ROMÉO.

ROMÉO

Si j'en crois la vision flatteuse du sommeil
Mes rêves présagent pour bientôt d'heureuses nouvelles.
Le roi de ma poitrine est joyeux sur son trône
Et depuis ce matin
Un esprit inconnu me soulève du sol par des pensées
riantes.
J'ai rêvé que ma dame arrivait et me trouvait mort –
Étrange rêve
Qui donnait à un mort le pouvoir de penser –
Et alors elle m'insufflait tant de vie avec ses baisers
Que je revivais et devenais empereur.
Dieu ! combien doux doit être l'amour possédé
Si la seule ombre de l'amour est aussi joyeuse !

Entre Balthazar, en bottes.

Des nouvelles de Vérone ! Eh bien quoi, Balthazar ?
Tu ne m'apportes pas une lettre du frère ?
Comment va ma dame ? Et mon père, est-il bien ?
Comment se porte ma Juliette ? je le demande encore
Car rien ne peut aller mal si elle est bien.

BALTHAZAR

Elle est bien, et ainsi rien ne peut aller mal.
Son corps est endormi dans le tombeau des Capulet,
Son essence immortelle vit parmi les anges.
Je l'ai vue déposée dans la tombe familiale
Et aussitôt j'ai pris la route pour vous le dire :
Oh pardonnez si j'apporte ces tristes nouvelles
Puisque, seigneur, vous m'en avez chargé.

ROMÉO

C'est ainsi ? Alors je vous défie, étoiles !
Tu sais où j'habite ; va me chercher
De l'encre et du papier. Loue des chevaux de poste.
Je pars cette nuit.

BALTHAZAR

Seigneur, je vous en supplie, ayez patience.
Vos yeux sont pâles et violents
Et présagent le malheur.

ROMÉO

Tut ! Tu te trompes.
Laisse-moi, fais ce que je t'ai prié de faire.
Et n'as-tu pas des lettres du frère pour moi ?

BALTHAZAR

Mais non, mon bon seigneur.

ROMÉO

Peu importe. Va-t'en.
Et loue-moi ces chevaux. Je te rejoins.

Balthazar sort.

Juliette, près de toi je serai couché cette nuit.
Cherchons le moyen. – Ô méfait tu es prompt
À pénétrer dans les pensées du désespéré !
Je me souviens d'un apothicaire
Et c'est près d'ici qu'il demeure,
Je l'ai remarqué il n'y a pas longtemps
Dans ses haillons avec ses sourcils en broussaille,

Choisissant des simples ; sa figure est maigre,
On sent que la misère l'a rongé jusqu'aux os ;
Dans sa pauvre boutique une tortue pendue
Un alligator empaillé et d'autres peaux
De poissons informes, sur les rayons
Un misérable entassement de boîtes vides
Des pots de terre verts, des vessies, graines moisies
Des débris de ficelle et de vieux pains de rose
Maigrement éparpillés pour faire étalage.
Devant cette misère, en moi-même j'ai pensé
Que si un homme avait jamais besoin
De poison, dont la vente est punie de mort à Mantoue,
Là vivait un triste esclave qui pourrait bien lui en céder.
Oh cette idée courait au-devant de mon désir :
L'homme pauvre devra me vendre son poison.
Si je me souviens bien, c'est ici sa maison.
Ce jour de fête il a fermé boutique. Hé l'apothicaire !

Entre l'Apothicaire.

L'APOTHICAIRE

Qui appelle si fort ?

ROMÉO

Homme, viens ici. Je vois que tu es pauvre.
Prends : voilà quarante ducats, mais donne-moi
Une dose de poison, affaire si rapide
Qu'elle se disperse à l'instant dans toutes les veines,
En sorte que l'homme lassé de la vie tombe aussitôt mort
Et que son tronc soit déchargé du souffle
Aussi violemment que la poudre rapide enflammée
Se précipite hors de la matrice d'un canon !

L'APOTHICAIRE

J'ai ces drogues mortelles ; mais la loi de Mantoue
Pour celui qui les fournit signifie la mort.

ROMÉO

Es-tu si nu et comblé d'infortune

Et crains-tu donc la mort ? La famine a tes joues,
Le besoin, l'oppression ont faim dans tes deux yeux,
L'offense et la misère sont pendues à ton dos,
Le monde n'est pas ton ami ni la loi du monde,
Le monde ne possède pas de loi pour te faire riche,
Alors ne sois plus pauvre, mais brise, et prends ceci.

L'APOTHICAIRE

Ma pauvreté consent, mais non ma volonté.

ROMÉO

Je paie ta pauvreté, et non ta volonté.

L'APOTHICAIRE

Mettez ceci dans le liquide que vous voudrez,
Buvez tout, et auriez-vous la force
De vingt hommes, ça vous expédiera.

ROMÉO

Voilà ton or, pire poison pour l'âme humaine
Et faisant plus de meurtre en ce monde odieux
Que ces pauvres mélanges que tu n'oses pas vendre.
Je te vends le poison, tu ne m'as rien vendu.
Adieu : achète de la nourriture et reprends chair.
Et toi, cordial et non poison, viens avec moi
À la tombe de Juliette où je me servirai de toi.

Ils sortent.

Scène 2

Vérone. La cellule de Frère Laurent.
Entre FRÈRE JEAN.

FRÈRE JEAN

Saint frère franciscain ; hé, mon frère !

Entre Frère Laurent.

FRÈRE LAURENT

Ce semble bien être la voix du frère Jean. Tu viens de Mantoue, sois le bienvenu. Que dit Roméo ? Ou s'il a écrit, donne-moi sa lettre.

FRÈRE JEAN

J'étais allé chercher un frère déchaussé, un de notre Ordre, qui dans la cité visitait les malades, pour m'accompagner ; mais les inspecteurs [29], nous suspectant de venir d'une maison où règne la peste infectieuse, ont fermé les portes et nous ont empêchés de sortir. Ainsi ma hâte d'aller vers Mantoue s'est trouvée arrêtée.

FRÈRE LAURENT

Alors qui a porté ma lettre à Roméo ?

FRÈRE JEAN

Je n'ai pas pu l'envoyer – je l'ai encore sur moi – ni trouver un messager qui veuille vous la rapporter, tant ils avaient peur de l'infection.

FRÈRE LAURENT

Malheureuse fortune ! Par mon saint Ordre,
La lettre n'était pas insignifiante, mais pleine de choses
Graves, de la plus haute importance,
Et qu'elle n'ait pas été transmise peut amener bien des
  malheurs !
Frère Jean, va, trouve-moi un levier de fer
Que tu m'apporteras dans ma cellule.

FRÈRE JEAN

Je vais vous l'apporter, mon frère.

Il sort.

FRÈRE LAURENT

Maintenant il faut que seul j'aille au tombeau.
Dans trois heures s'éveillera la belle Juliette :
Elle me maudira en apprenant que Roméo
N'a pas eu connaissance de ces accidents.
Mais j'écrirai de nouveau à Mantoue

Et jusqu'à ce qu'il soit là je la cacherai dans ma cellule
Pauvre cadavre vivant, enfermé dans la tombe du mort !

Il sort.

Scène 3

Un cimetière. Le monument appartenant aux Capulet. Entrent PARIS *et son* PAGE, *portant des fleurs et une torche.*

PARIS

Donne-moi ta torche, enfant.
Va, tiens-toi à l'écart.
Éteins-la plutôt car je crains d'être vu.
Et couche-toi tout du long sous ces cyprès
Collant ton oreille sur le terrain creux ;
Ainsi nul pas ne foulera le sol du cimetière
Mol et incertain, excavé par les tombes,
Sans que tu l'entendes. Siffle alors vers moi.
Ce sera le signal m'avertissant que l'on approche.
Et donne-moi ces fleurs. Fais ce que j'ai dit, va.

LE PAGE, *à part.*

Je suis presque effrayé de rester seul ici
Dans ce cimetière ; mais je vais m'y risquer.

Il se retire.

PARIS

Douce fleur, j'ai jonché de fleurs ton lit nuptial,
Ô malheur ! le dais en est poussière et pierre.
Et d'eau douce je vais l'arroser dans la nuit
Ou sinon, de pleurs distillés par les plaintes :
Les rites que je veux pour toi perpétuer
Seront fleurir la nuit ta tombe et te pleurer.

Le page siffle.

L'enfant m'avertit que quelqu'un s'approche.
Quels pas maudits rôdent là cette nuit
Pour troubler mon rite et vrai culte d'amour ?
Quoi, avec une torche ? Nuit, pendant un instant
Dérobe-moi.

Il se retire. Entrent Roméo et Balthazar, avec une torche, une pioche, etc.

ROMÉO

Donne-moi cette pioche
Et la barre de fer.
Attends. Prends cette lettre ;
Aussitôt le matin
Tu la remettras à mon seigneur et père.
Donne-moi la lumière ; et sur ta vie
Quoi que tu entendes ou tu voies, reste à l'écart
Et ne m'interromps pas dans mon action.
Si je descends dans ce lit de la mort
C'est d'abord pour revoir la face de ma femme
Mais surtout
Pour prendre à son doigt mort un précieux anneau
Dont je dois me servir pour un emploi très cher ;
Donc va-t'en d'ici. Mais si toi jaloux, tu reviens épier
Ce que je pourrai faire ensuite,
Par le Ciel ! je te briserai jointure après jointure
Et je parsèmerai ce cimetière affamé avec tes membres !
Le temps et mes intentions sont cruels, sauvages
Plus furieux et inexorables beaucoup plus
Que le tigre à jeun ou la mer rugissante.

BALTHAZAR

Je m'en irai, Monsieur, et ne vous dérangerai pas.

ROMÉO

C'est ainsi que tu me prouveras ton affection.
Prends ceci. Vis et sois heureux. Adieu
Bon compagnon.

BALTHAZAR, *à part.*

Tout de même, je vais me cacher par ici :
J'ai peur de son regard, je crains ce qu'il va faire.

Il se retire.

ROMÉO

Détestable mâchoire,
Matrice de la mort,
Toi gorgée avec le plus cher morceau de la terre
Va je forcerai bien ta gueule pourrie à s'ouvrir
Et en dérision je te gaverai
De plus de nourriture encore !

Il ouvre la tombe.

PARIS, *à part.*

Mais c'est ce Montaigue arrogant et banni
Qui tua le cousin de mon amour, ce qui par chagrin
Peut-être fit mourir la belle créature !
Et il revient pour faire quelque honteuse horreur
Sur les corps ensevelis : je l'arrêterai !

Il s'avance.

Cesse ta besogne impie, affreux Montaigue !
Peut-on poursuivre la vengeance plus loin que la mort ?
Lâche condamné, je t'arrête. Obéis,
Viens avec moi, tu dois mourir.

ROMÉO

Oui je le dois ; et c'est pourquoi je suis ici.
Jeune homme noble et bon
Ne tente pas l'homme désespéré !
Fuis, laisse-moi. Songe à ces en-allés
Et qu'ils te fassent peur. Jeune homme je te supplie
Ne charge pas un nouveau péché sur ma tête
En me jetant dans la furie. Oh va-t'en donc !
Par le Ciel, je t'aime bien mieux que moi-même
Puisque je suis ici armé contre moi-même.
Ne reste pas, va-t'en, survis

Dis à l'avenir
Que la pitié d'un fou te commanda de fuir !

PARIS

Je me moque de tes adjurations
Et comme un félon je t'arrête,

ROMÉO

Tu veux me provoquer ? Alors à toi, enfant !

Ils se battent.

LE PAGE

Seigneur, ils se battent ! Je vais chercher la garde.

Il sort.

PARIS

Oh je suis tué.
Et si tu as pitié
Ouvre la tombe et couche-moi près de Juliette.

Il meurt.

ROMÉO

En vérité je le ferai. Que j'examine ce visage :
Le parent de Mercutio, noble comte Paris !
Que disait donc mon serviteur
Quand mon âme soulevée ne pouvait l'entendre
Et que nous chevauchions tous deux ? Il me disait
Que Paris devait épouser Juliette ? Ne l'a-t-il pas dit ?
Ou bien l'ai-je rêvé ? Ou ne suis-je pas fou
L'entendant parler de Juliette
D'avoir cette idée ? Oh donne-moi ta main
Toi inscrit avec moi sur le livre d'infortune !
Je t'ensevelirai dans un glorieux tombeau ;
Un tombeau ? Mais non, ô jeune assassiné, une
  lanterne !
Car ici Juliette est étendue, et sa beauté
Fait de sa tombe une salle royale emplie de lumière.

Mort, repose, enseveli par un homme mort.

Il couche Paris dans le monument.

Combien souvent les hommes sur le point de mourir
Se sont sentis joyeux ! Ceux qui veillent sur eux
Disent : l'éclair avant la mort. Mais moi pourrais-je
Nommer cette heure éclair ? Ô mon amour, ma femme,
La mort a sucé le miel de ton haleine
Et n'a pas eu de prise encor sur ta beauté
Et tu n'es pas conquise. L'enseigne de beauté
Est encor cramoisie sur tes lèvres tes joues
Et le pâle drapeau de la mort n'est pas avancé.
Tybalt, gis-tu là dans ton sanglant linceul ?
Quelle plus grande faveur puis-je te donner
Que par cette même main qui trancha ta jeunesse
Rompre celui qui fut ton ennemi ?
Pardonne, mon cousin. Ah chère Juliette
Pourquoi es-tu si belle encore ? Dois-je penser
Que la mort non substantielle est amoureuse
Et que le monstre maigre abhorré te conserve
Ici pour être ton amant dans la ténèbre ?
Par crainte de cela je demeure avec toi
Et plus jamais de ce palais de la nuit obscure
Je ne repartirai ; ici je veux rester
Avec les vers qui sont tes serviteurs ; ici, ici
Je vais fixer mon repos éternel
Et secouer le joug des étoiles funestes
Pesant sur cette chair lasse du monde.
Mes yeux regardez une dernière fois !
Mes bras prenez votre dernier embrassement !
Et mes lèvres, ô vous
Portes du souffle, par un légitime baiser
Scellez un marché sans terme avec l'accapareuse mort !
Viens amer conducteur. Viens guide repoussant.
Toi désespéré pilote, jette enfin
Sur les récifs brisants ta barque épuisée malade de la
mer !

Voilà pour mon amour !

Il boit.

Honnête apothicaire,
Ta drogue est rapide. En un baiser je meurs.

Il meurt.
Entre Frère Laurent, portant une lanterne, une bêche et un levier.

FRÈRE LAURENT

Que saint François m'assiste ! Ah combien de fois
Cette nuit mes vieux pieds ont-ils heurté des tombes.
Hé, qui est là ?

BALTHAZAR

C'est un ami, c'est quelqu'un qui vous connaît bien.

FRÈRE LAURENT

Bénédiction sur toi. Dis-moi, mon bon ami,
Quel est ce feu prêtant la vanité de sa lumière
Aux larves et aux crânes sans yeux ? Si je vois bien
Il brûle dans le tombeau des Capulet.

BALTHAZAR

Il y brûle, saint homme. Mon maître est là
Celui que vous aimez.

FRÈRE LAURENT

Qui est là ?

BALTHAZAR

Roméo.

FRÈRE LAURENT

Depuis combien de temps est-il là ?

BALTHAZAR

Plus d'une demi-heure.

FRÈRE LAURENT

Viens avec moi à la tombe.

BALTHAZAR

Je n'ose pas,
Mon maître ignore que je sois demeuré là,
Il m'a menacé terriblement de mort
Si je restais pour épier ce qu'il allait faire.

FRÈRE LAURENT

Reste alors. J'irai seul. La peur arrive sur moi.
Oh j'appréhende une chose infortunée.

BALTHAZAR

Comme j'étais endormi là sous ces cyprès
J'ai rêvé que mon maître et un autre se battaient
Et que mon maître tuait l'autre.

FRÈRE LAURENT

Roméo !

Il avance.

Hélas, hélas, quel est ce sang
Qui salit l'entrée pierreuse du sépulcre ?
Que veulent dire
Ces épées ensanglantées sans maîtres
Qui sont à terre, livides, près du lieu de la paix ?

Il entre dans la tombe.

Roméo ! Ô pâle. Quel est l'autre ? Quoi, Paris aussi ?
Étendu dans le sang ? – Ah quelle heure monstrueuse
Est coupable de cette lamentable infortune ? –
La dame se réveille.

Juliette s'éveille.

JULIETTE

Ô secourable frère ! où est mon seigneur ?
Je me rappelle bien le lieu où je dois être,
Et c'est là que je suis. Où est mon Roméo ?

Bruit au-dehors.

FRÈRE LAURENT

J'entends du bruit. – Chère dame, sors de ce creux
De mort, de contagion et de sommeil contre nature :
Une force trop grande que nous n'avons pu détourner
A renversé nos intentions. Viens, sortons, viens.
Ton mari est étendu là mort près de ton cœur
Paris aussi ; viens, je te placerai
Dans une communauté de saintes sœurs.
Ne perds pas de temps en questions, la garde arrive,
Viens, va, bonne Juliette ; je ne puis plus rester.

JULIETTE

Va, va-t'en donc, car moi je ne m'en irai pas.

Le Frère Laurent sort.

Qu'est-ce là ? Une coupe
Est serrée dans la main de mon cher amour.
Le poison fut, je vois, sa fin prématurée.
Avare ! tu as tout bu
Et tu n'as pas laissé même une goutte amie
Pour me venir en aide après ?
Je veux baiser tes lèvres ; un peu de poison
Peut-être y est-il encore suspendu
Qui me ranimerait en me faisant mourir.

Elle l'embrasse.

Tes lèvres sont chaudes !

Entrent des hommes du guet avec le page de Paris.

PREMIER HOMME DU GUET

Allons, conduis-nous, l'enfant ; de quel côté ?

JULIETTE

Ah, le bruit ?
Alors il faut faire vite.
Toi poignard chéri !

Elle saisit le poignard de Roméo.

C'est ici ton fourreau,
Repose, laisse-moi mourir.

Elle tombe sur le corps de Roméo.

LE PAGE

C'est la place ; là où la torche brûle.

PREMIER HOMME DU GUET

On voit du sang sur le terrain ; fouillez le cimetière,
Allez-y à plusieurs, arrêtez qui vous trouverez.
Ô pitoyable vue ! Le comte assassiné.
Juliette ensanglantée, chaude et à peine morte, celle qui fut ensevelie il y a deux jours !
Prévenez le Prince. Courez chez Capulet. Réveillez les Montaigue. Et que les autres cherchent !
Nous voyons le terrain où gisent ces malheurs ; mais le vrai terrain de ces tristes malheurs
Nous ne pouvons l'apercevoir sans connaître tous les détails.

Quelques gardes rentrent avec Balthazar.

DEUXIÈME HOMME DU GUET

Voici l'homme de Roméo ; nous l'avons trouvé dans le cimetière.

PREMIER HOMME DU GUET

Surveillez-le jusqu'à l'arrivée du Prince.

Entrent Frère Laurent et un autre garde.

TROISIÈME HOMME DU GUET

Voilà un frère, qui tremble, qui soupire et qui pleure.
Nous lui avons pris des mains une pioche et une bêche.
Il venait de cette partie-ci du cimetière.

PREMIER HOMME DU GUET

Grave présomption. Arrêtez aussi le frère.

Entrent le Prince et sa suite.

LE PRINCE

Quel malheur s'est donc levé si tôt
Qu'il enlève notre personne à son matinal repos ?

Entrent Capulet, Dame Capulet et d'autres.

CAPULET

Qu'est-il donc arrivé, qu'on crie ainsi partout ?

DAME CAPULET

Le peuple dans les rues crie Roméo,
Certains crient Juliette, d'autres crient Paris
Et tous accourent
Avec de grandes clameurs vers notre monument.

LE PRINCE

Quelle est cette épouvante qui frappe nos oreilles ?

PREMIER HOMME DU GUET

Souverain, voilà le comte Paris assassiné.
Roméo mort. Et Juliette auparavant morte
Chaude et nouvellement tuée.

LE PRINCE

Cherchez,
Découvrez-nous comment s'est fait cet affreux meurtre.

PREMIER HOMME DU GUET

Voilà un frère, voici l'homme de Roméo
Avec des instruments pour ouvrir la tombe
De ces morts.

CAPULET

Ô Ciel ! Ma femme, vois comme notre fille saigne !
Ce poignard s'est trompé, regarde, son fourreau
Est vide à la ceinture du Montaigue
Et il s'est rengainé dans le sein de ma fille !

DAME CAPULET

Ô mon âme ! Cette vision de mort est comme un glas

Qui appelle mon vieil âge à son tombeau.

Entre Montaigue.

LE PRINCE

Viens, Montaigue.
Tu t'es levé bien tôt
Pour voir ton fils tombé encor plus tôt.

MONTAIGUE

Hélas, souverain, ma femme est cette nuit morte,
La peine de son fils exilé
Suspendit son souffle.
Quel malheur nouveau conspire contre mon âge ?

LE PRINCE

Regarde, et tu verras.

MONTAIGUE

Toi sans respect ! quelle manière en cela
De te jeter dans le tombeau avant ton père !

LE PRINCE

Fermez pour un instant la bouche du désespoir
Jusqu'à ce que nous ayons éclairci ces mystères
Et connu leur source, leur sens et leur vrai cours ;
Alors je serai le chef de vos douleurs
Et vous conduirai à la mort même. Abstenez-vous
En attendant, que le malheur s'enchaîne à la patience.
Faites comparaître les suspects.

FRÈRE LAURENT

Moi le premier, et le moins capable
Et le plus suspecté de ce meurtre affreux,
Car le temps et la place parlent contre moi ;
Et je suis là
Pour m'accuser et me défendre tout ensemble,
Moi-même condamné et moi-même excusé.

LE PRINCE

Alors dis-nous à l'instant même ce que tu sais.

FRÈRE LAURENT

Je serai bref car le peu de temps qui reste à mon souffle
N'est pas aussi long que ce sombre récit.
Roméo, ici mort, était le mari de cette Juliette
Et elle, ici morte, la fidèle épouse de ce Roméo.
Je les mariai ; le jour de leurs noces cachées,
Ce fut le jour où mourut Tybalt, et cette mort
Fit bannir le jeune marié de notre ville ;
Pour lui, non pour Tybalt, Juliette languissait.
Vous, afin de lever le siège de sa douleur,
L'ayant fiancée, voulûtes la marier de force
Au comte Paris ; elle vint me trouver
Et avec des yeux fous me dit d'imaginer
Quelque moyen de la sauver de ce mariage
Sinon elle se tuerait dans ma cellule.
Alors instruit par mon art je lui donnai
Un narcotique ; il produisit l'effet que j'attendais
Car sur elle il coula la forme de la mort.
Cependant j'écrivais aussi à Roméo
Pour qu'il vînt en cette horrible nuit-ci
M'aider à la retirer de sa fausse tombe
Quand l'effet du poison se serait épuisé.
Mais celui qui portait ma lettre, Frère Jean,
Par un accident se trouvait retardé
Et hier soir me rendait ma lettre. Alors tout seul
À l'heure prévue pour son réveil je suis venu
La prendre au caveau, pour la garder cachée
Jusqu'au jour où Roméo serait prévenu.
Quand j'arrivai
Un peu avant le réveil, ici gisaient
Le noble Paris, le fidèle Roméo.
Elle se réveillait ; je la suppliai de s'enfuir,
De supporter avec résignation l'œuvre du Ciel ;
Mais un bruit m'effraya, m'éloigna de la tombe
Et elle trop navrée pour partir avec moi
Contre elle-même il semble bien fit violence.
C'est tout ce que je sais ;

Et du mariage la Nourrice était avertie.
Si en tout cela
Une chose avorta par ma faute, que ma vieille vie
Quelques heures avant son temps soit sacrifiée
À la sévérité de la plus dure loi.

LE PRINCE

Nous vous avons toujours estimé comme un saint homme.
Où est le serviteur de Roméo ? Que peut-il dire ?

BALTHAZAR

J'informai mon seigneur de la mort de Juliette.
Alors en hâte il vint de Mantoue jusqu'à cet endroit,
Ce monument. Il me recommanda
De remettre au matin cette lettre à son père
Puis entrant dans le caveau il me menaça de mort
Si je ne partais pas pour le laisser là seul.

LE PRINCE

Donne-moi la lettre, je veux la voir. Où est le page du comte
Qui est allé quérir la garde ? Que faisait ton maître en ce lieu ?

LE PAGE

Il vint avec des fleurs, pour joncher la tombe de sa dame.
Il m'a dit de me tenir à l'écart et je l'ai fait.
Bientôt vint un homme avec une lumière pour ouvrir la tombe
Puis mon maître tira son épée contre lui,
Et alors j'ai couru pour prévenir la garde.

LE PRINCE

Cette lettre rend vraies les paroles du frère
La suite de leur amour, la fausse nouvelle de la mort.
Il écrit qu'il acheta le poison d'un apothicaire
Et vint au tombeau pour se coucher près de Juliette. –
Où sont ces ennemis ? – Montaigue ! – Capulet !

Voyez quel fléau tombe sur votre haine
Et comment par l'amour le Ciel tua vos joies !
Et moi pour avoir fermé les yeux sur vos désordres
J'ai perdu deux parents : tous nous sommes frappés.

CAPULET

Ô frère Montaigue, donne-moi ta main :
C'est le douaire de ma fille,
Je ne demande rien de plus.

MONTAIGUE

Je puis te donner plus :
Je vais lui élever une statue d'or pur.
Tant que Vérone par son nom sera connue
Nulle image ne sera plus haut estimée
Que celle de la vraie et fidèle Juliette.

CAPULET

Aussi riche sera celle de Roméo
Couché près de sa dame :
Pauvres sacrifiés à notre inimitié !

LE PRINCE

Ce matin nous apporte la paix assombrie.
Le soleil par chagrin ne montre point sa tête.
Séparons-nous pour nous entretenir encor de ces
 tristesses.
Les uns sont pardonnés, d'autres seront punis
Car jamais il n'y eut plus douloureux récit
Que celui de Roméo et de Juliette.

Ils sortent.

NOTES

1. Tout ce passage, qui joue sur l'opposition de « move » (avec les sens divers d'émouvoir, s'émouvoir, remuer, inciter à) et de « stand » (avec les sens divers de se tenir immobile, brandir, se mettre en position de combat), ne peut être rendu qu'en à-peu-près.
2. Comparaison biblique.
3. Il y a ici un jeu de mots intraduisible, « heartless hinds » voulant dire tout ensemble : *a*) valets sans cœur au ventre, et *b*) daims sans cerf (*hart*) pour les protéger.
4. Le mot « mistempered » joue sur le double sens de trempe, et d'humeur.
5. Vers discuté dont le sens exact pourrait être : soit « elle est la dame pleine des promesses de mes terres », soit « elle est la maîtresse pleine de l'espoir de mon ici-bas », soit « elle est la dame héritière de mes terres ».
6. La répétition du « je te dis » transpose le jeu de mots « Ay » (oui) et « I » (moi) qui ont même son, et traduit l'impatience de Juliette.
7. On avait coutume de poster des gamins dans les champs, avec un arc et des flèches pour effrayer les corbeaux.
8. Il y a ici et dans les vers suivants un double jeu de mots, d'une part sur « soar » (prendre son essor) et « sore » (grièvement), d'autre part sur « bound » (lié) et sur « bound » (bondir).
9. Les jeux de mots sur le terme « sombre » remplacent plusieurs jeux de mots anglais entre « done » (fini), « dun » (sombre) et « Dun » (nom de cheval). Le premier vers est un proverbe : invisible comme la souris. Le second vers est un autre proverbe : comme cheval embourbé.
10. Certains ont pensé que Roméo était déguisé en pèlerin, d'autant plus que telle est la signification de « romeo » en

italien. Quoi qu'il en soit, il y a dans ces vers un jeu de mots sur « palmer » (pèlerin) et « palm » (paume), que seul notre vieux mot *paumier* pourrait rendre.

11. La promptitude du mouvement correspond en partie à l'usage : dans l'Angleterre élisabéthaine on embrassait une dame, quand on la rencontrait ou quand on prenait congé d'elle.
12. Le texte porte « Abraham Cupidon », et l'on s'est perdu en conjectures. Certains ont supposé le texte corrompu ; d'autres ont jugé plausible de donner un nom de patriarche à un dieu aussi ancien que l'Amour ; mais nos éditeurs rappellent que l'on nommait « abrahams » des mendiants demi-nus ou rôdeurs.
13. Littéralement : mon niais. Terme de fauconnerie. Il s'agit du faucon niais, celui qui a été pris tout petit au nid. Ce mot de Roméo répond à celui de Juliette qui l'a appelé *tiercelet* (faucon mâle).
14. Aux habitants de la terre (glose de Malone).
15. Le chat du *Roman de Renart* s'appelle Tibert.
16. Mercutio ridiculise le duel italien à la rapière, devenu fort à la mode à Londres vers 1590.
17. Il s'agit d'escarpins ornés de perforations formant un dessin de fleur. Allusion érotique peut-être.
18. C'était une course de chevaux dans laquelle chaque cheval devait suivre de près celui qui le précédait, imitant le vol d'oies sauvages. Sans doute l'image de « l'oie » recouvre-t-elle des plaisanteries assez osées.
19. L'image d'un lièvre faisandé (qui en anglais désignait volontiers une prostituée) est ici transposée en morue : c'est naturellement une allusion désobligeante à la nourrice.
20. Ce mot est un à-peu-près pour « skains-mates », expression demeurée inexpliquée, à moins de lire « skene » (dague) dans « skain », ce qui suggérerait une catégorie particulièrement meurtrière de prostituées.
21. L'expression anglaise signifie à la fois « marquer sa place à table », ou « s'assurer une part de l'ordinaire, à l'aide de son couteau », et « aller à l'abordage ».
22. Le marié portait un bouquet de romarin, emblème de sa pensée fidèle.

23. Transposition d'un jeu de mots à partir de R, passant par « arre » (gronder, en parlant d'un chien) et tendant à quelque terme trivial qui pourrait être « arse » (cul).
24. Les mots « nut » et « hazel » n'ayant aucune ressemblance, le prétexte à querelle, selon le texte anglais, est plus mince encore.
25. « a grave man » signifie à la fois un homme grave et un homme dans la tombe, un mort.
26. « That runaways' [ou runaway's] eyes may wink » est un célèbre problème shakespearien. La traduction peut choisir entre des images complètement opposées concernant soit le soleil fuyard, soit la nuit fugitive, soit des témoins errants, etc.
27. « Hood » (encapuchonne) et « unmanned » (non dressé, non habitué à l'homme) sont des termes de fauconnerie.
28. La beauté des yeux du crapaud donnait à penser qu'il avait pris le regard de l'alouette.
29. C'étaient des fonctionnaires chargés d'inspecter les cadavres et de faire un rapport sur la cause du décès.

CHRONOLOGIE

	Vie et œuvre de William Shakespeare	Contexte historique et culturel
1557	Mariage de John Shakespeare, gantier (installé à Stratford-upon-Avon depuis 1552), et Mary Arden, de Wilmcote ; John, dont les affaires prospèrent grâce au négoce de la laine et de la viande, devient conseiller municipal.	Guerre entre l'Angleterre et la France (jusqu'en 1559).
1558	Baptême (le 15 septembre, selon le rite catholique) de leur première fille, Joan. Les sept enfants qui suivirent seront baptisés selon le rite anglican. Joan meurt en bas âge.	Mort (le 17 novembre) de Mary Tudor ; Élisabeth devient reine d'Angleterre. Calais est repris par la France. *La Chute d'Icare* de Bruegel. *Les Regrets* de Du Bellay.
1559		Couronnement d'Élisabeth Ire (15 janvier). *L'Heptaméron*, de Marguerite de Navarre (posthume). Mort d'Henri II ; François II devient roi de France.
1560		Mort de François II, Charles IX lui succède. *Œuvres* de Ronsard. Jasper Heywood traduit en anglais *Troas*, *Thyestes* et *Hercules Furens* de Sénèque.
1561		Naissance de Francis Bacon. *The Book of the Courtier* (*Livre du Courtisan*), traduction par Thomas Hoby de *Il Cortegiano* (*Le Courtisan*) de Baldassare Castiglione (1528).

1562	Baptême (le 2 décembre) de Margaret, deuxième enfant des Shakespeare.	Naissance de Lope de Vega. Massacre de Vassy : début des guerres de Religion. *Les Noces de Cana* de Véronèse. *Gorboduc* de Norton et Sackville, première tragédie anglaise en vers blancs.
1563		Naissance de John Dowland. Les Trente-neuf articles de l'Église anglicane. Paix d'Amboise, fin de la première guerre de Religion. *Le Massacre des Innocents* de Bruegel. Grave épidémie de peste en Angleterre (plus de vingt mille victimes) ; à cause de la peste, les représentations théâtrales sont interdites à Londres à partir du 30 septembre.
1564	Naissance de William le 23 avril (?) dans la maison de Henley Street ; baptême le 26 avril, en l'église de Holy Trinity, de « Gulielmus filius Johannes Shakespeare » ; la peste se déclare à Stratford au début de l'été et fait plus de deux cents victimes, soit un sixième de la population de la bourgade.	Naissance de Christopher Marlowe. Mort de Jean Calvin. Mort de Michel-Ange. *Le Cinquième Livre* (présumé) de Rabelais. Naissance de Galilée.
1565	Le père de William devient échevin.	

	Vie et œuvre de William Shakespeare	Contexte historique et culturel
1566	Baptême (le 13 octobre) de Gilbert, deuxième fils des Shakespeare.	Naissance de Jacques VI d'Écosse, fils de Marie Stuart, et futur Jacques Ier d'Angleterre. *Poèmes*, *Sixième* et *Septième Livres* de Ronsard. *The Palace of Pleasure*, de William Painter, traduction de textes classiques ou italiens, dont s'inspirera Shakespeare.
1567		Naissance de Claudio Monteverdi. *Missa Papae Marcelli*, de Palestrina. Deuxième guerre de Religion. Publication de la version anglaise d'Arthur Golding des *Métamorphoses* d'Ovide, livre cher à Shakespeare.
1568	John Shakespeare accède à la plus haute fonction municipale, il devient bailli de Stratford.	*Traité de la peste* d'Ambroise Paré. Carte du monde de Mercator. Troisième guerre de Religion.
1569	Baptême (le 15 avril) d'une deuxième Joan.	
1571	Baptême (le 28 septembre) d'Anne, dernière des sœurs de William ; quant à lui, depuis deux ans, il part chaque matin à la *petty school* où le maître, armé du *birch* (faisceau de badines de bouleau), lui a enseigné la lecture du *hornbook*, abécédaire protégé d'une plaque de corne transparente.	Bataille de Lépante (Cervantès y perd un bras). *Trois Livres des Apparitions, des esprits, fantômes, prodiges et accidens merveilleux*, de Ludwig Lavater (traduction publiée à Paris du traité paru en latin l'année précédente).

1572	Le jeune William, qui a presque huit ans, fréquente sans doute la *grammar school* de Stratford.	Massacre de la Saint-Barthélemy (23-24 août). Quatrième guerre de Religion. *La Franciade* de Ronsard. Naissance de John Donne. La loi sur le vagabondage promulguée en Angleterre menace les troupes d'acteurs itinérants ; il leur faudra chercher un protecteur parmi les grands du royaume, puis un théâtre.
1573		*Traité des monstres et prodiges* d'Ambroise Paré. *Les Saisons*, de Giuseppe Arcimboldo.
1574	Baptême (le 11 mars) de Richard, troisième fils de John et Mary Shakespeare.	Mort de Charles IX. Cinquième guerre de Religion.
1576	Les affaires de John Shakespeare commencent à aller mal. Entre 1576 et 1582, les dettes le contraindront à hypothéquer une partie de l'héritage de Mary Arden, sa femme, et à céder des terres à vil prix ; il ne prend plus sa place au conseil et on ne le voit pas à l'église ; l'adversité exacerbe des inimitiés qui lui feront craindre un péril mortel en 1582.	Le Theatre, premier lieu de représentation permanent, est construit à Shoreditch (Londres) par James Burbage, maître charpentier devenu acteur principal de la troupe du comte de Leicester, Robert Dudley. *A Perfect Description of the Celestial Orbes*, traduction du *De revolutionibus orbi* (Livre I) de Copernic (1543) par Thomas Digges dont Shakespeare connaîtra le fils, Léonard.
1576-1577		Sixième guerre de Religion.

	VIE ET ŒUVRE DE WILLIAM SHAKESPEARE	CONTEXTE HISTORIQUE ET CULTUREL
1577		Agrippa d'Aubigné commence *Les Tragiques.* Septième guerre de Religion. Construction du théâtre de la Courtine (The Curtain), deuxième théâtre de Londres.
1582	Le 28 novembre, à dix-huit ans et sept mois, William Shakespeare épouse Anne Hathaway, née en 1556 ; elle attend leur enfant.	
1583	Baptême (le 26 mai) de Susanna, fille aînée du couple. Pendant la saison 1583-1584, trois troupes jouent à Stratford : les comédiens des comtés d'Oxford, d'Essex et de Worcester.	*Del'Infinito, Universo e Mondi* (*De l'infini, de l'univers et des mondes*), dialogue philosophique de Giordano Bruno.
1586	Shakespeare gagne sa vie hors de Stratford ; avant de devenir acteur, il est peut-être « maître d'école à la campagne », précepteur d'une grande famille catholique.	*A Treatise of Melancholie*, du médecin Timothy Bright (*Hamlet* montrera que Shakespeare a lu l'ouvrage de Bright). *Derniers Vers* de Ronsard.
1588		Victoire anglaise sur l'Invincible Armada. Naissance de Thomas Hobbes. *Les Essais*, *Troisième Livre*, de Montaigne. *Méditations sur les Psaumes* de Jean de Sponde. Assassinat du duc de Guise. Première représentation (?) du *Docteur Faustus* de Christopher Marlowe.

1589	Shakespeare est vraisemblablement à Londres parmi les gens de théâtre ; il joue de petits rôles et commence à écrire pour la scène en exerçant divers métiers : selon la chronique, il garde les chevaux des spectateurs aisés.	Mort de Catherine de Médicis ; assassinat d'Henri III. Henri IV devient roi de France. Première représentation de *The Jew of Malta* (*Le Juif de Malte*), de Marlowe.
1592-1594	*Richard III ; Titus Andronicus.* En 1593 et 1594, la fermeture des théâtres pour cause de peste semble permettre à Shakespeare de se consacrer à la poésie ; peut-être a-t-il déjà écrit certains des *Sonnets*, que l'on peut pour la plupart attribuer à la décennie qui s'ouvre.	De juin 1592 à mai 1594, presque aucune représentation n'est donnée à Londres en raison de l'épidémie de peste (onze mille victimes pour la seule année 1593).
1596	*Venus and Adonis*, publié par Richard Field, imprimeur et libraire originaire de Stratford, ami de Shakespeare ; le poème, dans le goût du *Hero and Leander* (*Hero et Léandre*) de Marlowe (dont Shakespeare a pu voir le manuscrit), est sa première œuvre publiée et s'inspire des *Métamorphoses* d'Ovide ; il la dédicace au jeune comte de Southampton, Henry Wriothesley. Dans sa dédicace, l'auteur annonce à son protecteur une « œuvre plus grave » ; ce sera *The Rape of Lucrece* (*Le Viol de Lucrèce*), composé dans les mois qui suivent.	

	Vie et œuvre de William Shakespeare	Contexte historique et culturel
1594	*The Comedy of Errors* ; *The Taming of the Shrew* (*La Mégère apprivoisée*). Shakespeare devient membre de la troupe des Lord Chamberlain's Men, qui joue deux fois à la Cour pendant les fêtes de Noël ; il en est l'un des six actionnaires.	Henri IV abjure le protestantisme et rentre à Paris. Expulsion des jésuites de France. De mauvaises récoltes plongent l'Angleterre dans la misère. Formation de la compagnie des Lord Chamberlain's Men (Comédiens du Chambellan) : le Theatre à Shoreditch est leur scène attitrée.
1595	*The Two Gentlemen of Verona* (*Les Deux Gentilshommes de Vérone*) ; *Love's Labour's Lost* (*Peines d'amour perdues*).	
1596	*Romeo and Juliet* ; *Richard II; A Midsummer Night's Dream* (*Le Songe d'une nuit d'été*). Shakespeare obtient du Collège des Hérauts d'armes le droit de porter des armoiries ; son blason, « d'or à bande de sable, à la lance d'or acérée d'argent avec en cimier un faucon aux ailes d'argent déployées » porte la devise « Non sanz droict » ; il réalise ainsi l'ambition de son père, dont la première demande avait été formulée sans succès vers 1570.	Naissance de René Descartes.

1597	*King John* (*Le Roi Jean*) ; *The Merchant of Venice* (*Le Marchand de Venise*).	Première édition des *Essays* de Bacon. *First Book of Songes* de John Dowland. *Daemonologie*, de Jacques VI d'Écosse. Représentation de *Dafne* de Peri et Rinuccini (premier opéra).
1598	*Much Ado about Nothing* (*Beaucoup de bruit pour rien*) ; *The Merry Wives of Windsor* (*Les Joyeuses Commères de Windsor*) ; *Henry V.* Shakespeare est copropriétaire du nouveau théâtre The Globe, construit avec les matériaux du Theatre.	Naissance d'Oliver Cromwell.
1599	*As You Like It* (*Comme il vous plaira*) ; *Twelfth Night* (*La Nuit des rois*) ; *Julius Caesar.*	
1600	*Hamlet.* Selon la tradition perpétuée par Nicholas Rowe en 1709 et fondée sur plusieurs témoignages, Shakespeare joue le rôle du Spectre.	Naissance de Calderón. Mariage d'Henri IV avec Marie de Médicis. Mort de Giordano Bruno (17 février) sur le bûcher à Rome, au Campo dei Fiori où se dresse aujourd'hui son monument.

	VIE ET ŒUVRE DE WILLIAM SHAKESPEARE	CONTEXTE HISTORIQUE ET CULTUREL
1601	Richard Field imprime pour le libraire Edward Blount un poème de Robert Chester (1566 ?-1640) intitulé *Love's Martyr.* Avec ce texte, quatorze autres poèmes dus à divers auteurs : un des poèmes, sans titre dans cette édition, est attribué à Shakespeare et sera ensuite intitulé « The Phoenix and the Turtle » (« Le Phénix et la Tourterelle »). Au Globe, le 7 février, représentation de *Richard II*, la veille de la rébellion d'Essex ; Southampton, le protecteur de Shakespeare, est du nombre des partisans qui, le 8, tentent de soulever la cité de Londres. Ils échouent et se rendent. Essex et Southampton sont jugés le 19 février et condamnés à mort ; le mécène de Shakespeare sera épargné ; Essex est exécuté le 25 février. Le 24 février, Shakespeare et sa troupe jouent à la Cour devant la reine. Mort de John, père de Shakespeare ; il est enterré le 8 septembre au cimetière de l'église de Holy Trinity à Stratford.	

1602-1603	*All's Well That Ends Well* (*Tout est bien qui finit bien*). Les Comédiens du Chambellan deviennent par licence royale les *King's Men* (Comédiens du roi) ; *Measure for Measure* (*Mesure pour mesure*).	Mort d'Élisabeth Ire ; Jacques VI d'Écosse devient Jacques Ier d'Angleterre et d'Irlande. La peste à Londres fait trente mille morts ; fermeture des théâtres dès le 26 mai 1603, probablement jusqu'en avril 1604. *The Essayes of Michael Lord of Montaigne*, publication de la traduction de John Florio, que Shakespeare connaît bien.
1604	*King Lear* (*Le Roi Lear*).	
1605		Complot des Poudres (5 novembre). *The Advancement of Learning* de Bacon. *Don Quixote* (première partie) de Cervantès.
1606	*Macbeth. Antony and Cleopatra* (*Antoine et Cléopâtre*) ; *Timon of Athens* (*Timon d'Athènes*).	La peste sévit à Londres jusqu'en 1609. Naissance de Rembrandt et de Pierre Corneille. Visite en Angleterre du roi Christian IV de Danemark. *Volpone* de Ben Jonson.
1607	*Coriolanus* (*Coriolan*).	
1608-1609	*Pericles, Prince of Tyre* (*Périclès, prince de Tyr*) ; *The Sonnets*, avec *A Lover's Complaint* (*La Plainte d'une amante*).	
1610	*Cymbeline.*	Assassinat d'Henri IV et régence de Marie de Médicis. *L'Astrée II*, d'Honoré d'Urfé ; *The Alchemist*, de Ben Jonson.

	VIE ET ŒUVRE DE WILLIAM SHAKESPEARE	CONTEXTE HISTORIQUE ET CULTUREL
1611	Retour de Shakespeare à Stratford et semi-retraite dans sa maison de New Place ; *The Winter's Tale* (*Le Conte d'hiver*). 1611-1612 : *The Tempest* (*La Tempête*).	
1612-1613	*Henry VIII* (en collaboration avec John Fletcher) ; *Cardenio* (pièce perdue). Le 29 juin 1612, incendie du Globe, pendant une représentation de *All is True* (*Tout est vrai*, premier titre de *Henry VIII*) ; le théâtre est, selon Thomas Lorkin, réduit en cendres « en moins de deux heures ».	
1616	William Shakespeare meurt le 23 avril, le jour présumé de ses cinquante-deux ans ; il est inhumé le 25 avril à Stratford, dans le chœur de l'église de Holy Trinity, à proximité du mur nord.	*Don Quixote* (deuxième partie) et *Novelas Exemplares* (*Les Nouvelles exemplaires*) de Cervantès. Parution des *Œuvres* de Ben Jonson au format in-folio. Francis Bacon est fait chancelier. Mort de Cervantès. Richelieu devient secrétaire d'État. Publication des *Tragiques* d'Agrippa d'Aubigné.
1623	6 août : mort d'Anne, veuve du dramaturge, à 67 ans. Shakespeare ne s'est jamais soucié de la publication de ses pièces. En son hommage, deux des vingt-six principaux acteurs de sa troupe des Comédiens du Roi, ses amis John Heminges et Henry Condell les rassemblent (à l'exception de *Pericles*) et font paraître le premier in-folio, imprimé par William et Isaac Jaggard.	Mort de William Byrd. *Pyrame et Thisbé*, de Théophile de Viau. *Tragédies* (vol. I) d'Antoine Hardy. Naissance de Blaise Pascal.

BIBLIOGRAPHIE

OUVRAGES SUR LA VIE ET L'ŒUVRE DE SHAKESPEARE

Northrop Frye, *Les Fous du temps. Sur les tragédies de Shakespeare*, trad. J. Mouchard, Paris, Belin, 2002.

Marie-Thérèse Jones-Davis, *Shakespeare, Le Théâtre du monde*, Paris, Balland, 1987.

François Laroque, *Shakespeare, Comme il vous plaira*, Paris, Gallimard, « Découvertes », 1991.

Henri Suhamy, dir., *Dictionnaire Shakespeare*, Paris, Ellipses, 2005.

ÉTUDES SUR *ROMÉO ET JULIETTE*

Paul-Laurent Assoun *et al.*., *Shakespeare, Roméo et Juliette : la passion amoureuse*, Paris, Ellipses, 1991.

Yves Bonnefoy, « Préface », *Roméo et Juliette*, Paris, Gallimard, « Folio Classique », 2001.

Gérard Hocmard, *Roméo et Juliette*, Paris, Ellipses, « Réseau Diagonales », 2007.

Julia Kristeva, « Roméo et Juliette : le couple d'amour-haine », *Histoires d'amour*, Paris, Denoël, 1992.

Gisèle Venet, « Notice » sur *Roméo et Juliette*, in *Shakespeare, Œuvres complètes, Tragédies I*, dir. J.-M. Déprats et G. Venet, Paris, Gallimard, « Bibliothèque de la Pléiade », 2002.

R. S. White, dir., *Romeo and Juliet*, Basingstoke, Palgrave Macmillan, New Casebooks, 2001.

ADAPTATIONS MUSICALES

Hector Berlioz, *Roméo et Juliette*, H. 79, op. 17, 1839 [symphonie dramatique].

Charles Gounod, *Roméo et Juliette*, livret de Jules Barbier et Michel Carré, 1867 [opéra].

S. S. Prokofiev, *Roméo et Juliette*, op. 64, 1935 [ballet].

P. I. Tchaïkovsky, *Roméo et Juliette*, 1870 [ouverture fantaisie].

ADAPTATIONS CINÉMATOGRAPHIQUES

Baz Luhrmann, *Romeo + Juliet*, 20th Century Fox, 1996.

Robert Wise et Jerome Robbins, *West Side Story*, MGM, 1961.

Franco Zeffirelli, *Romeo and Juliet*, Paramount Pictures, 1968.

TABLE

ROMÉO ET JULIETTE

Mise en page par Meta-systems
Roubaix (59100)

N° d'édition : L.01EHPN000461.N001
Dépôt légal : mars 2011
Imprimé en Espagne par Novoprint (Barcelone)